Nosso grão mais fino

José Luiz Passos

Nosso grão mais fino

Editora Objetiva Ltda.
Rua Cosme Velho, 103
Rio de Janeiro — RJ — Cep: 22241-090
Tel.: (21) 2199-7824 — Fax: (21) 2199-7825
www.objetiva.com.br

Capa
Rodrigo Rodrigues

Revisão
Catharina Epprecht
Ana Kronemberger
Diogo Henriques

Editoração eletrônica
Abreu's System Ltda.

CIP-BRASIL. CATALOGAÇÃO-NA-FONTE
SINDICATO NACIONAL DOS EDITORES DE LIVROS, RJ.

P319n

Passos, José Luiz
Nosso grão mais fino / José Luiz Passos. - Rio de Janeiro : Objetiva, 2009.

157p. ISBN 978-85-60281-79-4

1. Romance brasileiro. I. Título.

08-4945 CDD: 869.93
CDU: 821.134.3(81)-3

Em memória de Luiz Antônio

Todo lo que perdí
Volverá con las aves.

JORGE GUILLÉN, "Advenimiento"

Durante trinta e cinco anos, longos e descontados, fui diretor químico. Por deformação de ofício tenho minha cerviz curva e a caneta medida em gotas. Chama-se pipeta o que antes guiava minha tinta. Tudo que quis foi ser preciso, exato, paulatino, e meu entusiasmo com as circunvoluções, com os vidros, suas transferências, está nessa temperatura madura de líquidos que precisam do que jaz para além da sua própria matéria. Tudo compõe meu tino reativo. Detrás, no porém, devo revelar os outros comburentes, as enzimas, o pH ideal. Não há equilíbrio sem contraversões, esse foi Zelino. Aprendi duma química muito mais cativa, onde substâncias não são selos mas gargalos destampados, mirantes, em constante estado de serem ora descontidos, ora descontentes.

Às vezes sentia isso até a raiz dos ossos, sonhava. Um verdadeiro abuso de todos e no meio, eu, Vicente vero Campelo de campeira, um ser imbuído de raiz aérea. Em volta, pó, mais povo e uma bailarina chamada Ana Corama fazendo piruetas em cima da mesa, nos mareando. Era um sonho? Todas as minhas sinceras confissões, as mais nuas, demais que severas, vão aqui na frente. Por que doem tanto? Por eu e Zelino sermos irmãos unidos no amor duma tia corada, rubra, enrubescida demais, com vergonha de qualquer sussurro, "Sua tia é uma puta!", ouvíamos, nossa carne se revirava procurando o motivo, gastada sem sucesso. E, no entanto, fui o adotivo duma mulher a quem sempre chamei *mãe*, e ela era cega, a mãe de Zelino, e ele, meu colaço; e nós dois, devotados a Ana

Corama. Uma tia, sendo que puta? Dois caroços na gente se multiplicavam.

Mas creio que em mim a conseqüência máxima da cegueira de minha mãe foi a primeira deficiência bem medida. Talvez por eu ser de fora, talvez pela minha condição segunda, ou por ela ser, de mim, a postiça, a mãe em seguida, a única que me amou, pois tendo sido sua a escolha, essa filiação terrena e adiada resultou num amor moderado, para que então eu amasse seu primeiro e único filho. Assim fui seus olhos, que a negavam. Sempre suplemento? Mas nunca desistente! Vim povoar as salas, os jardins, corredores e quartos geminados, os espaços vastíssimos da solidão de Zelino. Cheguei para ser o outro duma mãe cujo rebento original definhava em invenções de si, os espasmos sem hálito do menino asmático, rhrãh! E sem enxergar nada ela me chamou de filho. E eu a disse mãe. Admirei Zelino mesmo sendo seu desigual. E em nós dois o amor da puta Corama se impôs (que só agora tenho coragem de desfazer seu nome, mulher) como os fios dum mamulengo diabólico, fantoche ensaiado, manequim verdadeiramente artimanhoso.

E, porém, muitas foram as minhas glórias, como os saldos dessas combinações inertes, nobres ou altamente reativas na baixeza de odores primitivos, esperando para serem descobertos e ensinarem ao mundo o que dele ainda pode ser mais são. Assim anunciei vezes e vezes: *A ciência e a técnica aí estão, realizando progressos consideráveis na prática industrial da fermentação alcoólica, ajudando-nos no caminho a seguir. Quisera eu dispor de tempo para vos contar um pouco dos progressos da zimotecnia moderna. Basta, entretanto, que vos diga que, da fermentação espontânea em cubas de madeira ao processo original e revolucionário estudado pelos técnicos H. R. Berford e Paul J. Kolachov para a fermentação contínua em um mesmo vaso, vai um grande passo dado pela ciên-*

cia em benefício da indústria. Tenho publicado. Mandei sempre cópias a Zelino, que me aprovava e insistia em buscar estilo em reles prosa de materiais preexistentes. Mas não creio.

Em todo caso, repito: *Reagindo cloro com álcool e benzeno, sintetizaram, os químicos, o diclorodifeniltricloroetana, DDT, substância efetiva contra uma variedade de insetos daninhos às colheitas e notável no combate aos transmissores de moléstias como a malária, o tifo, a disenteria e outras.*

O uso dos meus instrumentos, suas continuações e contatos com substâncias alheias, foi sempre minha medida do mundo, que só o tive por gestos intercedidos, por escudos ou lanças que o provocavam, nunca por minhas próprias mãos, e sempre com a visão fora de mim, escolhendo um caminho cuja distinção era servir. E servir não sem egoísmo ou orgulho, muito pelo contrário. Com resultados de ampla notação, como no modelo da própria química, minha guia.

No princípio desse século, encontramos um exemplo no trabalho de Paul Ehrlich, o pai da quimioterapia, cuja história de lutas e triunfos pode-se resumir em dois números: 606 e 914. Pela primeira vez, na História, um composto químico feito pelo homem curava uma doença, exterminando especificamente, como um projétil mágico, a bactéria causadora da moléstia. As pesquisas sistemáticas de Ehrlich sobre matérias corantes, como agentes quimioterápicos, tiveram continuadores que sintetizaram os dois primeiros compostos aromáticos de valor terapêutico, dos quais derivam as sulfas. Produtos da química orgânica, da mais pura linhagem, a sulfalinamida e seus derivados são exemplos frisantes das conquistas das químicas em benefício da saúde humana.

Meu gozo, esse tremor, vem dessas inversões que prometem cumprindo, criaturas criadoras, e redefinem o que somos. Nossos alvos. De acordo comigo, eu, se não me engano, digo uma última vez. Acreditei em várias coisas, mas sobretudo em uma só.

Essa foi a minha pele vistosa. Mas por dentro, no coração do homem, ele é povoado de concavidades, é poroso, é líquido, mais que poroso, é aquoso porque tem infinitas entradas e perfurações. O coração é um musgo vermelhando, pedindo para ser desmentido, punido, verdadeiramente enganado. Desbalance de químicos. Como um coração maior que o dos outros, como o meu, pode ser abrigo de tanta malícia? Como este órgão pode não se romper pela sua sombra, pelo susto, pela carne alheia, pelos espasmos da carne alheia, pelas suas imitações reais e imaginadas da carne alheia? Sinto muito que meu relato seja tão caviloso, mas é o meu relato; não o teu, Zelino.

Contarei toda a história. Exponho-a a seguir. Antes, porém, eis uma ressalva que me levantou um homem mais humilde que a média dos homens que conheci. Repito-a sem correção de qualquer natureza.

A ressalva é uma hipótese com a qual concordo. Eu também entendo que o amor é leve, é chato, aplastado, e se redemoinha em áreas contíguas como um líquido viscoso, infecto e que contém tato. O amor é uma molécula capaz de se doar numa cópia. Eu não amei. *Disse* que amei. Gritei numa voz impura, prometida, que pertencia a outros, que me subscrevia atento aos mínimos gestos alheios e, no entanto, me cosia mais tenso, me desviava de vós, recomposto e cada dia mais infirme, gozando meu próprio núcleo, minha medula que agora sei turva. O amor, eu não disse antes, mas ele é alaranjado de mentira como um composto breve e doméstico, porém um minuto depois salta imperioso e sem dono, rebravio. Esse amor, mesmo o mais corriqueiro, não é vermelho como nos corações que desenhamos a lápis e imaginamos de rubro prenhe. É alaranjado, meio-termo entre a surpresa falhada do amarelo (de sua desistência lenta, a debilidade do pus) e aquele tinto que pensamos ser o corpo pelo avesso, o que esperamos, mas nunca é, nem virá a ser isso, porque nenhum vermelho é tão vermelho como aquele imaginado, como amor algum é tanto amor quanto o que houve em mim e de saldo me deixou o espaço oco, a sombra, uma mera lembrança pálida, digamos amarela, daquela cor mais ansiada, da sua vera carne, a intensidade rubra que nos faz retesos armar os braços para o outro na ânsia de, pelo tato, restaurar a vaga que dói e nos arvora a ser mais do que só somos. De verdade, eu me diluía por uma pessoa que, sim, era corrosiva sem querer. Essas ações mútuas são parte do inexplicável. E aqui eu próprio me faço de demonstração.

Pois, afinal, como é ser não sendo? Eu e Corama nos mantínhamos trancados um do outro, conforme sempre, mentíamos? Curava-me desbastando minhas imagens dela, da sua figura e da sua voz, em química. Foi nesta ocasião que produzi meu primeiro fascículo, *Da fermentação em etapas*. Não digo mais nada. Estou somente, todo ali. Quando for presente, o futuro soará.

E, então, eis o futuro. O certo foi uma vez quando a noite soprava lá de fora. Eu desmentia minha modorra, imóvel, na cama, olhando o breu do tempo que sulcava entre mim e o teto. Verdade que me via como veria um peixe. Meus olhos saltavam das órbitas, readentravam, sempre demais que abertos, ascendidos. Por que prestava atenção àquele som informe, barulho abafado mas sem zelo vindo do quarto ao lado? O quarto de Ana Corama e meu tio, Gaetano Dueire. Quando a parede me tocou a orelha, alisando meu rosto com sua frieza, molhando-se nela com meu suor, pude ouvir que certas palavras eram aspiradas em tons baixos. Era como se dissessem ruim e são e rã ou hein? E arre! Tudo se pronunciava em segredo, ou prendendo um grito possível com o resto duma voz amordaçada em veludo. As sílabas vinham carentes de definição, suas palavras abauladas, introvertidas. Mal saíam e seu ritmo se impunha ao meu próprio corpo como as setas em São Sebastião. Ouvi dizerem vais e sãs e uns e indo. Não pude formar sentença, gastei minha fé de sono esperando compor um nome do fervor daquele murmúrio. *Figli*, pareciam me dizer, *misere figli*, ou rum e cem e hã-rã. Não eram mais palavras o que ouvia, ressoava agora minha própria pulsação espantando dos ouvidos o entendimento e mais o que o juízo me pudesse firmar. Voltei para a cama e vendei os olhos com pálpebras e mãos. Depois, sem solução para aquilo, levantei dum impulso só e fui me buscar na sala.

Corama apareceu em seguida. Do sofá ela me disse que noite mais quente. Disse-lhe que sim e sem sono. Seus cabelos e sua voz vinham deslocados, na frente. Chegavam primeiro que seu roupão mostarda. Nenhuma luz teve jamais segurança em pousar-lhe na face. Vi que se sentava. Ela me viu ficar de pé. Examinei seus dedos ensaiarem fora das sandálias um círculo majestoso. Ela notou a forma das minhas mãos recontarem os dedos nos bolsos. Assisti-a impor às mechas a pressão das orelhas. Ela certamente notou meu olhar errante, sua fixidez em objetos ordinários, meu copo d'água na mesa rente ao aquário. Naquela noite algo admirável sucedeu aos dois. Éramos, ali, *ambos*. Outra fala, uma rara, veio com seus sortilégios sem que pudéssemos definir o que era, ou quando esse feitio tornaria a nos estreitar. Este foi o segundo centro dessa narrativa de três. Naquela noite fui feliz pela única vez que soube do que era isso, ser feliz. Corama iluminava e eu anotei-lhe o calor na minha própria história, eu seria o único a perceber que sua irradiante versão de si vinha da vergonha máxima, do estado humilhante de estar entre nós. Viver era grave. Eu lhe causava torpor. Seria acaso vergonha também? Nossa mãe diminuía os gestos de Corama. Meu tio usurpou-a de si mesma, retirou-lhe toda a sanha. Zelino despia Ana

Corama de olhos fechados. De verdade, ninguém jamais a teve. Eu a via, no entanto, embora à distância, sendo talvez que por ela mesmo, inteira, retomada, eu chegaria a comovê-la. Eu quis comovê-la. Naquele instante não a tive. Saímos iguais, mas a noite ganhou de nós dois seu conhecido quinhão de possibilidades. E eu ansiei, como nunca, ser a própria noite, a para sempre longa, úmida e estúpida noite em que finalmente chegaríamos a comovê-la, minha bela *Ana Corama*.

Até bem pouco, homem algum jamais me pedira que desfizesse os cabelos e fosse, eis-me pasma, vagarosa no andamento de me desbaratar. Nesse único desejo tolo estancaram seus olhos claros, Vicente. Circulavam em suas órbitas e, como me olhassem, era ao redor de mim que duas íris retinham meu contorno imóvel, um manto ereto de forragem viçosa. Diante de seu olhar admirado, soube o quanto ser turva. Estirei a mão apontando o aquário, um poço no ponto de transição entre a luz e a penumbra. Ali, bem à frente, esta mão, ou melhor, meu veto espalmado será que interpunha o Não, ou era eu quem dizia o que agora repito sem levantar a voz, "Me faça ir adiante, meu bem, estar contigo e fender meu coque despregando-me da presilha de tartaruga que retém este leve peso, toda a minha ondulação em pequenos cachos, e abandonar curvas despenteadas, negras, de bronze nas pontas mais claras como se ardessem, em feixes terminais, as melenas acesas de um pavio sibilante, e afinal deixar estes chumaços penderem redivivos", mas não. Acatando-o naquilo, seria senhora de duas vontades. Ergui os braços sem olhá-lo. Revi no espelho da sala, de longe, uma mulher minúscula, eu, de cotovelos elevados e mãos apanhando a nuca, um alvo apenas por pouco ainda revelado...

Mais de uma vez me aconteceu que, calado, distante, pude observar Ana Corama sem que ela notasse e, do tremor em suas mãos, do jeito de ela catar a ponta dos cabelos, olhando para mim e logo para a mecha, tive a impressão de que realmente desconfiava de muitas das histórias que lhe contei. Agora mesmo vejo-a bem ali, já pacífica pela categoria do vinho que nos servi no capricho desta noite a sós. E, rindo, Corama pousa as mãos no colo, tenta fixar o que lhe digo, mas quando pergunto o que foi, ela me interpela como se inflamada por um novo pavor.

Hoje não, então digo a Vicente, "Você diz melancólica querendo mesmo, meu bem, é dizer deprimida." Ele me acha deprimida.

Não a nego. Irrito-a pela demora em confirmar o que já sabe. Súbito, ouço-a jurar que desistirá da noite se eu não deixar de denegrir um deus seu, o Luiz Carlos Prestes. E também, sei, nunca gostou deste sofá. Faz pouco que, tirando os sapatos, sentou-se no chão com os braços soltos e a cabeça encostada no assento de couro verde. Vendo-a assim, penso, essa não é a mesma Ana. "Mulher, se sente direito", e lhe faço sinal para que venha descansar ao meu lado.

Não vou. "Vicente, me diga, como é mesmo seu nome todo?", pergunto-lhe só pelo prazer de invocar essa velha brincadeira, então rimos e ele se espanta com minha voz avessa a qualquer gesto de entrega. Repercute em nós dois a iminência de uma casa a cada badalo mergulhada num escuro mais e mais azulado. Vicente cantarola um refrão antigo, a música que nos lembra nossa primeira viagem de volta a Santo Antão. Ele diz que a urgência das aves, quando gorjeiam, talvez deus nenhum jamais chegue a alcançar. "Fale baixo, Vicente!", eu lhe peço, e calamos nisso. Ele ri. Então, a depender de um único gesto seu, imaginei meu amigo vidrado no que veria. Uma a uma, eu me desfazendo de cada peça de roupa. Mas ao invés, como se fossem pendões curtos, agora meus cabelos baixam sobre os ombros, roçam-me a pele fazendo-lhe um aceno, o simples reflexo de molas delgadas. Pensei que estas mechas podiam ser as pestanas apressadas de Vicente Campelo, fechando-se, abrindo-se, espanando minhas costas pontuadas por sinais. Seus beijos varreriam o mapa de um país que acaba de emergir de águas paradas. Mas nada disso sucede, então me levanto.

> Ana Corama, essa boca ecumênica. "Seu modo de chamar beijos de *beixos*..."

Ele volta ao tom de antes. "Vicente Campelo, seus olhos enxertados de areia moscada, humor aquoso, lente e corpo vítreo, são verdes. Tudo e um pouco mais pelo simples prazer da invenção de suas criaturas..." Essa tenência de pessoa ferida, esses passos de pássaro. "São quase cinco da manhã, Vicente, está me ouvindo?", pergunto, mas ele não me responde. "Nossa vez virá se um dia vier, não é? E com ela, aquela liberdade que você sempre diz, já não é sem tempo."

> "Isso", concordo, enquanto Corama me olha por cima do ombro esquerdo. Vê o que não vejo. Parece grávida, mas diz que nunca virá o tempo em que uma criança lhe pese no ventre e no espelho ela veja um balão. "A que horas você vai sair hoje, Ana?" Ela não me responde. Segue coberta por essa túnica com cachos de uvas e conchas peroladas. Busca o hálito que lhe abra uma das bandas do pano e revele a metade alva dum seio só.

Meu amigo finge que não vê minhas meias estampadas com a imitação de rendas e, no chão, uma taça metade seca de seu vinho espanhol. Aponto-lhe a taça.

"Você ri, mas não bebe nada."

"Bebo, sim, Vicente." Verdade que não quero beber.

Hoje faremos ou não aquele grande brinde? "Veja bem, você não pode desistir da nossa amizade, Corama."

Ele nos serve mais vinho. Traja seu blusão de brim verde com calças azuis e sapatos de couro. "Posso, meu bem. Se quiser posso desistir disso também."

"Mas não deveria, Ana." No ar, seu dedo agora aponta o hall que dá para os quartos, ela rodopia a mão e faz o gesto de que sou louco. Na têmpora esquerda espirala mechas que só existem por teima da imaginação. Sei o que quer dizer com aquilo, então sorrio.

"Ri de mim?"

"De jeito nenhum, Ana. Acho graça no que *você* deve pensar de mim..."

Vicente e sua ladainha do eu inflado, um cego para o mundo. "O que vale a vida dum químico que empalha bichos inventados?"

"Vale o que ele preserva, é claro." Corama e essa língua zombeteira...

Espalho farelo de semente por cima do aquário. Limpo as mãos na barra do robe e me sento. Estou no chão. Vejo-o daqui de baixo. Ele me toca as costas com a ponta do pé.

"Conhece a história das damas de Cholmondeley? Duas irmãs nascidas, casadas e paridas no mesmo dia. Um verdadeiro milagre."

"Já vou, Vicente. Ouviu? É tarde. Vai amanhecer e ainda estou aqui." Porém, continuo no chão. Empurro-lhe a ponta do pé com o punho cerrado. Vou me levantar.

"Fique. Por favor." Corama e sua visão sumária das coisas, a veia órfã e estrangeira que seu rosto quer negar; sua cabeleira desgrenhada, de negrura lisa e espessa, que ainda agora rebate o cone luzente do abajur. "Seu coque..."

"Meu coque."

"Não deixa que as pontas dos seus cabelos mergulhem no vinho."

"Não quero beber mais que esse bocado." Não bebo mais.

"E não deve."

"Você também, Vicente."

"Eu sei", concordo. Ana olha em volta, vê a luz entrar pelo janelão da sala. Espalma as mãos sobre o assento do sofá, faz que não com a cabeça e me chama de criança.

"Eu nunca que poderia viver assim, meu bem. Como você. Com esses bichos e essa vidraria de laboratório. Tinha medo de pisar num deles..." Ele faz que não entende o que lhe digo. Com medo de acordar os outros, falamos cada vez mais baixo.

Agora, comigo calado, Ana também se cala. Todas essas aves nas paredes e nas gaiolas, dentro dos livros, as vivas e as recheadas com estofo de fibra, nos olham. Seus olhos, de vidro ou córnea, nos vêem. Então repito que ainda somos os mesmos. Digo isto em voz alta e juro que não sou capaz de trair quem me quer bem. Ana Corama me ouve sem piscar. Dizemos cada qual a sua própria ladainha. Ela, que dali em diante seremos apenas amigos. Eu, que infelizmente devo sumir por um tempo. Vejo essa mulher e ela ainda me vê mudo pela promessa que acaba de nos fazer. "Amigos, então?"

"Seremos só amigos."

Corama, agora extática e triste, parece morta pela alvura que a primeira luz da manhã lhe traz. Não há por que contar com o momento perfeito. Ela sabe disso. Talvez sinta que algo entre nós dois começa de fato a se transformar.

Mentalmente, fixando um ponto acima da sua cabeça, me revi pondo as roupas no começo da noite. Reconto agora as peças sem me apalpar. Sei o que ele observa e, talvez, mesmo o que ele chegaria a ver, eu ainda mais pura. Pensei ter adivinhado seu futuro e sorri. Meu amigo perde toda a naturalidade de há pouco. Não me arrependo de zombar desse seu ar estancado e pálido. Ouço sua respiração mais profunda. Ele faz uma pausa, espera que lhe pergunte o que é, mas fico calada.

"Você está se defendendo de mim, Corama?"

"Pergunte a Gaetano."

Quando ela diz *Gaetano*, Corama me tolhe os braços, estanca minha língua. Exerce seu veto apenas por arrolar uma aliança de noiva no dedo. Alheio a ela, vingando-me desse bote, espreito meus pássaros e a pouca luz que mostra o único caminho a seguir. O caminho de dentro para fora, através das janelas. Espero há horas Corama sair de seu estado de chão, de roubo moral, doída pelo tempo em que estivemos aqui, ela no assoalho, eu no sofá; e nos quartos, Elena e Gaetano, a minha mãe e o meu tio.

"Aonde vamos com isso tudo, meu bobo?"

"Eu sei", digo, e noto suas unhas laqueadas passeando pelo queixo em direção aos cabelos. Ana apaga o cigarro no cinzeiro da mesinha. Penso no quanto minha amiga já perdeu na vida. Aguardei em vão, durante a noite, o Sim que traria seus cabelos, braços, queixo e ombros de volta. Sento-me no sofá com os olhos fechados e, imitando quem de fato permite a dormência de amar, espero mergulhado nos últimos minutos dessa madrugada. Então abro os olhos e vejo a janela da sala metade velada por cortinas que a cada dia estiro e recolho maquinalmente. Agora repito o mesmo movimento, fazendo da casa uma lenta cavidade bombeada pela luz fresca do pedaço de céu que, lá fora, cobre o bairro. Revejo a sala. Os cheiros de pano úmido, café e louça lavada se misturam ao rastro das baforadas que colorem nosso hálito. Corama, eu acho, vai se levantar. Faz um gesto esquisito.

Afinal meu amigo desperta e me promete, sem demora, o segredo que guardou por tanto tempo. Levanta, pára diante de mim, caminha até a janela. Confere a manhã e se senta. Em silêncio, recostado no sofá, finge que ouve vozes. Creio que até hoje ainda não sabe quem sou. Há pouco ouvimos alguém caminhar dentro de casa, abrir e fechar a pia da cozinha, chocar talheres com a louça, dizer um belo Não ao gato, numa língua enfastiada com a rogativa costumeira desse animal. É Magda Pola. Vicente, cínico, sabe que agora não temos muito tempo, e ainda me pergunta o que leio. Então lhe arremesso o velho álbum de Santo Antão. Os dois, agora diante da mesa posta, do café, do leite, da geléia e do bolo de milho, diremos o que houve. Ninguém esperava no tempo de uma única madrugada aquela sincronia de atenção a detalhes grosseiros. Por trás ele vem e, antes de se sentar à mesa, põe as mãos sobre os meus ombros, sente pela primeira vez esta lã cardada anunciar o que de fato trago por dentro.

"Corama, você às vezes faz uns sons que eu acho uma graça." Alternamos o pouco assunto de um para o outro, eu e ela. Como em um jogo adolescente, tentamos a objetividade. Ana me observa enquanto eu a vejo impor aos cabelos uma forma qualquer. Ela fecha o robe e puxa as mangas. Tenta me impressionar.

"Está vendo esta cicatriz? Gosto dela. Foi a filha menor da minha aia que me cortou com a navalha na mão, sem ter culpa nenhuma, é claro, porque ainda éramos pequenas.

A marca, do peito do antebraço, foi descendo, descendo e hoje... Veja aqui. Já chegou quase ao pulso. Ainda é mais rosada que o resto da minha pele."

Corama ri, mantém o jogo. Escolhe o tempo e os temas, cata do robe os fios de cabelo que se pegaram ao tecido lanoso. "Que mentira", eu lhe digo. Ela balança a cabeça, move as mãos como se remasse, indica com isso a pressa em me ouvir responder à pergunta que me fez há pouco.

"E o meu pai?", peço novamente que ele me conte o que prometeu. Meu amigo revê sua memória do industrial burlado que foi o meu pai, Dahirou Corama, mas continua calado. Pergunto-lhe, "Vicente, sabe quando ontem pus as mãos no seu pescoço e você rufou a voz e disse que não lhe batesse, aí brinquei com isso, porque bati de leve no seu rosto... Daí você ficou sério, discutiu comigo e me deu as costas...".

"E você chorou."

"Chorei depois. Então você me disse, 'Não vá chorar, não, ô Ana Có'. E me abraçou mesmo estando com ódio de mim."

"Eu não estava com ódio de você."

"O que queria dizer, meu bem, é que fiquei um pouco chocada quando você me pediu que eu o chamasse de *Dahirou* ou de *Gaetano*, entendeu? Meu pai ou meu marido. Que assim estaríamos eu e você unidos pela força de qualquer nome... Você disse isso. De noite, na cama, me revirei muito, porque aconteceu uma coisa que ainda não sei se é ou não horrorosa."

"O que foi?", pergunto, e novamente fico olhando essa mulher exibir seu exagero, fazendo mistério do que no fundo é reles e corrente.

"Você sabe, o seu cheiro. Você tem um odor forte que, aliás, é muito bom. Um cheiro de pano dormido em chá com álcool. Lembro que Dahirou, meu pai, ia do fabrico à destilaria fingindo que eu não estava ali por perto, admirada da sua camisa com manchas de suor nas costas e por baixo dos braços. Ele andava até a torneira da coluna de destilação e abria aquele jorro frio, esfregando os dedos, e se abanava para secar as mãos. Daí soprava as palmas sorrindo para mim... E agora você, Vicente. Espero que me entenda. Acabei me lembrando, ali, contigo, naquele dia em que você me cumprimentou com as mãos molhadas, lembrei do perfume que era o suor espesso de meu pai, um capitão de indústria. E você, o químico. Os dois. Ele e aquela sua bata alva... Era o próprio terno de casimira branca de Dahirou Corama, quando me abraçava com as mãos ainda úmidas de molhar a filha feliz nessa corrente evaporada de suor e álcool."

"Quero lhe dizer só uma coisa. Nós dois viajamos juntos. Aliás, eu e Zelino, o meu irmão. Estivemos com seu pai na última noite dele..."

Eis um novo golpe. "Você está bem? Continua bem, Vicente?" Em silêncio, nos olhos dele revejo o poço da visão que se esboçou diante da minha contra-resposta. Seu medo das revoluções. Perguntei-lhe novamente pelo bem. À esquerda, pouco adiante, uma mossa rasa comprime o tapete sob o pé da mesa em redor da qual, sem vestígios da nossa intimidade, irrompe a manhã. Olhei em volta. Novamente me vi ao fundo, rebatida pela lâmina fresca do espelho fixado por mim no canto da sala de estar. Nele vai Vicente. Vejo-o ali, em largo reflexo, e revejo-o agora diante de mim, à distância dum simples piscar de olhos. Ocultas, comigo, minhas mãos vibram na sua testa infirme. Ele parece bem. Estamos sentados um diante do outro. Observo-o. Respiro. Novamente o observo. Quanto tempo faz que a última sílaba, por mim ou por ele, foi lentamente aspirada? Quem dos dois ouviu dizer a última frase inteira?

"O que foi mesmo que você falou, Ana?"

Ponho na mesa o álbum de fotos que trago nas mãos e, com a lentidão que há pouco me fora rogada, desarmo os cabelos. Vicente me teria ali inteira, tamanha podia ser a nossa silhueta em comum. "Me conte tudo, meu bem", eu disse, mas meu amigo se levantou e me deixou só. Saiu da sala sem olhar para trás. Agora caminha do lado de fora e seus passos de ave corredeira riscam no tapete, no assoalho e na cerâmica do pátio longas cicatrizes de sal. Sozinha, rarefeita, ainda conturbada por esse rechaço e sorvendo uma brisa há pouco resfriada pelo escuro total, meço com labirintos que brotam da ponta dos dedos, sob unhas retintas à cor de romã, cada um dos meus sete peixes, inclusive aquele que de tão delicado, lilás, eu própria virei a estragar.

"Boa sorte, Ana", eu lhe disse, então saí da sala. Já era manhã.

Com as unhas ainda úmidas da madrugada em que escandi meu próprio animal marinho, faço a volta para o quarto. Tencionava, muito embora nenhum dos meus seios estivesse entre os dedos do homem que dormirá ao meu lado, minar o sono. Borrar a vigília que me aturdia. Porém, antes do quarto, abro a metade cerrada das cortinas de linhão cru. Quem nunca viu sob a primeira luz da manhã o contorno de uma paisagem familiar vir de longe ou mesmo de perto para causar surpresa e pavor? Todas as histórias de Vicente preenchiam a nossa pouca história. Quando afinal veio o rumor da casa desperta (Elena e Magda Pola batendo os saltos e as panelas) novamente Gaetano se deitou sobre o meu corpo. Eu era um bosque sem caules, apenas copas e raízes abrandadas pela irrigação recente. E o odor de barro úmido que se alastrou por sobre nós dois, um casal em seu quarto de casal, me lembrou o esfuziar dum cão após a chuva. Não há como salvar desse animal espavorido aquilo que o cerca. Aceitei Gaetano, enterrei minhas unhas na pele que lhe recobre as costas e, no momento mesmo de ele não se lembrar da própria aniquilação, pensei em lhe implorar que fosse gentil, que aguardasse a volta da noite. Acolhi esse marido nem tanto por piedade, muito mais pelo nojo de mim mesma. Não cheguei ao que Vicente Campelo por certo imaginava. Pensei, tenho minhas historinhas, esposo e casa. Tenho dois nomes. Vejo agora, aqui na cama, Gaetano me olhar enquanto mantém firme, entre as mãos, as mechas soltas do meu penteado e, na boca, a auréola de meu seio direito. Olha para mim, nota seu próprio tato causando rubor e um frenesi de última hora. Sei o quanto pesam sobre esta cama os sons que escapam enquanto tento abafá-los trincando os dentes, franzindo o cenho. Por que só agora ressurge em Vicente, em seus olhos foscos por respeito e admiração, a figura primitiva de Zelino, o contorno daquele irmão interior e tão desigual? Gaetano, com toda sua pressa pela segurança total, com o passo do ondeio que faz sobre mim, um ondeio agora já mais intenso pelo conforto da própria inconsciência, está imune, sempre esteve imune a qualquer fabrico de si, como os que ocorrem ao meu amigo químico e seu tipo-irmão, o apanhador de aves. Meu marido sabe somente o que lhe dizem. Faz o que está feito. Rebrame seu tom odoroso diante de quem lhe encara, e agora, pesado sobre o meu corpo, o seu corpo aguça os sentidos de macho, aperta os lábios, libera seu pulso de ar pelas narinas e diz, entre dentes, uma única sílaba do meu nome. Gaetano se deleita em mim e solta seu som marrom. Desvio meu rosto e vejo na cabeceira a carinha gorda dum anjo aos pés da minha Conceição baiana. Também a face amuada do ex-voto na mesinha de encostar. Gaetano acaba de apaziguar a antigüidade da espécie. Apartamos nossas vontades. Na cama, ponho entre nós dois a distância de meio corpo e um travesseiro. Ele resfolega e me olha tentando a ternura, mas lá atrás, no coval das pupilas, há aquele velho terror. A suspeita breve e sempre descartada de que sua mulher, sendo eu de olhos cerrados, bem que pode estar abraçada a um corpo ausente, bastava ela imaginá-lo, o outro abraçando-me enquanto estouravam nossos risos. Eu mais esse outro. Gaetano descansa e, de bruços, dorme o sono dos legítimos. Por honra de meu sexo, mantenho entre as unhas aquele curto pavio inflamado pela minha brasa lenta. Diante do espelho, agora que veio a manhã, meu marido raspa o rosto dessa matéria que se lhe aderiu no tempo de subir mais um sol. Já, já, pinçando os cabelos agarrados ao meu penhoar, acusarei o alvoroço duma velhice precoce. Tenho trinta e cinco anos, tento lhe dizer, mas Gaetano sai do quarto para não me ouvir. Levanto da cama. Apanho o pó, o ruge, o lápis e um batom. Deponho um por um de volta à penteadeira. Resisto à reforma de mim e passo a escutar a casa. Sempre mandada, lá vem Magda Pola me copiar a fala vagarosa, servir às minhas historinhas para crianças. Vou ao banheiro e abro a torneira. Afundo o rosto e me lavo da noite. Com a cabeça baixa, rasgo o selo da boca. Bebo a fluência magra e fria como uma égua esfolada por um longo páreo, e ali, também como ela, me sacio com largos goles de água turva. Queria adoecer, ficar pequena, ser novamente amparada pelo meu pai, pela comiseração da sua gente sem raiz. Há sempre uma dor quando me cumprimentam. A defecção dele, de Dahirou Corama, e seu apreço por uma mãe que não consigo recordar, a sua fala estrangeirada e também esse marido, Gaetano, que me disse, "Salvei sua linhagem, mulher", e, no entanto, manchou minha condição de estar só no mundo, enfim, tudo isso não são grilhões, são antes a potência que talvez me tire daqui e me livre do afogamento neste pequeno lavabo de mármore. Livre de mim mesma, agora sim, respiro. Com a voz ainda embriagada pela tentativa de asfixiar as cinco covas do rosto, sigo a memória de volta à madrugada passada. Deitada, refaço o rumo da noite em que novamente ouvi a história de meu pai, o que me contou meu amigo quando lhe implorei com a força da estupidez: "Poupe essa pena que, muito embora me amando há tanto tempo, você sempre sentiu de mim, José Vicente Campelo!"

Acontece, Zelino, que corpinhos de massa leve e zunideira se arremessavam contra o vidro. Besouros, vespas, mariposas, alguma abelha e talvez zangão, mas também os grilos e os gafanhotos vinham marcando o pára-brisa do carro, empoçando aquele escudo frio com a praga dos seus suquinhos amarelo-gualdo, verde e azul. Suas felpas faziam do ar uma suspensão de fogachos ligeiros, estalavam na carroceria desfazendo-se em partículas, banzavam ao redor dos faróis, forçadas pelo vento janela adentro, para serem finalmente abanicadas pelas mãos dos dois homens.

Eu e o motorista íamos imersos nessa nuvem enredada, litigiosa e, lamentando a teima daqueles bichos, de vez em quando engrossávamos a voz numa queixa sem pesar por essas mortes estalajadeiras. Manchas mínimas, mas emporcalhavam demais! O zunzum dessa multidão era feito de bilhões de perninhas e antenas. Seu rumor de asas pareadas, quadruplicadas, impulsionava um vôo zonzo e nessa doideira da noite vinham à cata de luz ou eram vítimas do facho dos postes, alvos na pista, onde o tráfego raro singrava a cana e costurava seus campos, saltava rios por pontes e ia marginar o mar. Pois esses bichinhos estouravam gozando da nossa pressa.

Mas o carro sim, obediente, era um ser rutilante, lata ladrante e corredeira. Um automóvel a quem nenhum horizonte lhe diria, desista! Ou então que o desafiassem a um percurso cheio de voltas. Ali corria, mais que corria, fazia vento para dentro e para fora, empurrava o ar aquela casinha motorizada de couro estofado, de bancos com mola e clácson possante, armadura luxuosa, usinada, estampada, e contra a correição lívida que se dissolve largando vida e zumbido, vai o carrejão acelerado e, dentro dele, atrás do motorista, o passageiro, um agente da química. Era eu quem me entretinha com tudo em volta, enquanto seu Simo se centrava no volante atrás da pista, guiando as reações que esquentavam aquela máquina de dócil combustão. Brotava dos calos da estrada a trepidação que movia o chassi e por sobre ele, por sobre nós dois, a noite redonda dissipava seus animais. Porém, o forde também impressionava os raros passantes, que àquela hora desistiam de atravessar a estrada para contemplar a carreira daqueles dois homens assentados na majestade alva do veículo. Então, quimeras de fuga rápida, lançadas pelas lanternas da frente, imprimiam no chão, nas margens da estrada, no verso das copas das mangueiras uma réstia de luz, a febre cegante que durava o tempo de piscar somente um dos olhos, justamente aquele que fosse o mais rápido.

Quando saltei do automóvel, trajando meu terno branco, era mesmo Vicente Campelo, o último passageiro. Partia com a missão de ampliar com plantas estrangeiras a fábrica de Dahirou Corama, o industrial que muito odiou ser chamado de coronel. "Obrigado", eu disse ao velho motorista, e ele me respondeu fechando os olhos, sorrindo com a mala nas mãos. "Veja, seu Simo!"

Então, Zelino, com aquela maravilha de querer e não querer partir, de já ter partido, por ser impossível dizer não, e a lembrança de outras viagens me cerzindo a testa, que logo espantei todas com um lenço, fui adiante e senti menos o calor que uma brisa ventando lenta. Saltei fora do carro e recebi de frente o bafejo monótono dos coqueiros lixando o ar, sacando deles a maresia continuada que vaporava do Atlântico. Meus olhos, corrigidos por lentes novas, lançados de trás dos aros, viram o que nos arrebatou.

Lá adiante, entre nós dois e o abismo negralhão que era a noite emborcada sobre o mar, boiava o enorme charuto, um pão desmedido, o último peixe, era o imenso dirigível oblongo, levíssimo mas pontiagudo com suas aletas fixas no ar, e no bojo dessa baleia prateada, rija de gás, o nome estampado. Cada letra do tamanho duma rês, novilho corpo de boi. GRAF ZEPPELIN. Víamos o próprio LZ 127. Embaixo dele, tochas e faroletes iluminavam o flanco da aeronave, e aquela gente já dava os seus adeuses. Homens de macacão cinza e luvas de couro preto corriam com longos cabos nas mãos, enquanto os automóveis manobravam diante de cavalos com olhos berrantes, varando nuvens de poeira que enchiam o ar de formas amareladas. Entrei como se fosse Jonas na barriga daquela baleia exitosa, embarcava sem a menor urgência, embora tivesse no rosto, isto sim, a vastidão tensa de um susto, as mãos e os dentes indubitavelmente mais que crispados.

Porque, desatado das torres de amarração, sessenta, setenta, oitenta homens mantinham o zepelim no solo pelo simples peso dos corpos, fazendo com isso o esforço de não nos largar pelo ar afora. Esticavam cordas presas de ambos os lados da nacele. Pela janela via grupos de amarradores, homens-âncoras, deslizarem o dirigível para longe da coluna de atracação, alinhando-o pelo vento leste. Estávamos agora de frente para o mar. Os cabos então foram soltos e uma ascensão suave tomou conta dos passageiros, quase todos em silêncio. Os motores foram acionados, zumbiram um mínimo e me admirei, nenhum espasmo de avião. Subíamos sem solavancos e eu boiava no imenso pão destacado, contemplando de cima da noite o nosso litoral imerso em breu de sono. O zepelim me pôs num êxtase que talvez nunca tenha se repetido. Aquela máquina ampliava nossas feições. Lhano, de envergadura longa e branda, o aerostático me introverteu, a pressão nos meus ouvidos afastava o burburinho da cabine. Logo me meti num mundo mais íntimo. Lá trás, de Santo Antão ao Recife, o campo vinha pontilhado de luz. E, largando fumos no elemento do dirigível, o bueiro maior e sua sombra em pé, ela apagada pela noite, esperavam o tempo de catar sua altura com o sol de amanhã cedo.

Que tempo é esse, Zelino, em que homens arrastam pela praia balões prenhes com outros homens? Seguia com os olhos fixos na rótula do basculante. Meu peito, porém, ia sereno, fazia as pazes com uma última indecisão. Deixei Santo Antão moendo uma safra incompleta, seu excesso desperdiçado e a casa-grande imersa naquela fuligem que ia cobrir os móveis da sala, entranhar-se nos meus livros e nas roupas, na câmara centrífuga, dentro dos balões de ensaio, secando igualmente a umidade de homens e máquinas. Em tempo de moagem as janelas ficavam fechadas, o calor mandava Dahirou e sua família de uma só moça, Ana Corama, para fora, para o alpendre, os dois esperando seu Simo voltar da cidade com a tora de gelo que a fumaça lambia.

Mantive os olhos fora da cabine, me plantei na noite que distendia seu abismo entre as estrelas e os últimos luzeiros do continente. Então a lembrança de outras viagens, muitas apenas entre as cidades da Mata Sul, me vieram à cabeça. Pus a pasta e um livro no colo e me contentei. Viajava de vez, ia lentamente, sentado, deixando-me levar pelo imenso balão. E quando finalmente peguei no sono, já não pensava em Santo Antão. Nosso tio-avô, o arcebispo dom Lino Tribot, certamente ali teria se imaginado aquele Jonas no ventre de seu animal profético. *Os homens não me querem, pois águas enervadas me recolhem e, como o próprio sal, regresso ao mar e, de lá, novamente aos homens pelo vapor da palração.* Mas esse era o modo dele, Zelino, nosso modo ancestral. Não o meu. E foi assim que fendi o Atlântico em dois, risquei daqui a uma lagoa alemã uma linha que dividia o mundo em mais um par de hemisférios, um acima e outro abaixo dos meus pés. Seriam oitenta horas de viagem, do Campo do Jiquiá à Friedrichshafen.

Súbito um rumor de couro e pano, sapato que pisa, soou e meu assento tremeu. Alguém havia se sentado ao meu lado. Abri os olhos lentamente. Não porque tivesse dormido. Naquela cabine éramos poucos, creio que só doze, mas todos se entreolhavam demais; embora talvez me olhassem sem ver. Conversando, os passageiros voltavam as cabeças animados com o serviço da tripulação, os travesseiros e o primeiro café de bordo. O deleite era grande, porém eu continuava indisposto. Fechei os olhos, novamente escutei aquele ruído. Do meu lado agora estava um homem de terno escuro, rosto raspado e bigode cheio. Quase não consegui conter o susto.

"Doutor Vicente", ele disse. "Afinal, o senhor veio."

A voz, Zelino, era do pai de Ana Corama. Seu corpo volumoso, felpudo naquele terno azul-marinho, Dahirou era o senhor completo dos seus modos e paixões. Uma cabeleira de bronze, nem rubra nem castanha, rebatia a pouca luz que vinha das lâmpadas elétricas, mas rebatia de igual para igual. Havia algo naquele homem que o tirava do chão. Não creio que jamais afundasse em poça, se em poça, desatento, pusesse um pé. Era da terra para cima, o próprio industrial.

"Doutor Vicente, sinto muito. Parece que o assustei." Dahirou falava mais baixo. "Está me ouvindo?", ele disse.

"Ora, como vai o senhor?", perguntei.

Zelino, confesso que a conversa revelou em ambos dois viajantes que pouco a pouco pareciam se aproximar, menos pelas simpatias de origem, a minha por ele, do que pela distância que crescia entre nós dois e a terra de onde partiu aquele vôo. Surpreendi-me que lhe falasse como igual, sem hesitação nenhuma, àquele homem. Por causa disso tenho uma memória muito precisa dessa noite, a noite em que alçado pelo zepelim descobri, mais do que talvez qualquer um de nós, o pouco que sabemos de Dahirou Corama.

Trocamos as primeiras impressões. Era tarde e a conversa se estendeu, o zumbido dos motores um pouco menos ruidoso. Falávamos animados. Dahirou, mais velho que eu talvez vinte ou trinta anos, com as perguntas que me fazia, dava agora um tom mais desembaraçado àquela prática. De repente, embora o assunto fosse a subida das cotações, me veio à cabeça uma curiosidade. Ele, homem de sucessos, já tinha mais de sessenta anos, talvez sessenta e cinco. Não deixaria herdeiro nenhum se não casasse a filha, Ana Corama. Ainda não havia descendência para o legado copioso daquele homem gentil. E Dahirou, ele mesmo, talvez imaginasse o que eu considerava um verdadeiro absurdo.

"Do jeito que as coisas vão, pelo que ouvi", ele disse. "Você é muito querido por seu avô. E ainda mais pelo pessoal dele..."

"Os Dueire." Repeti o modo pelo qual ele chamava a gente do meu avô, e disse que apreciava a oportunidade que me fora dada, de começar como técnico de fabrico na empresa da família.

"Mas seu avô gosta muito de você", ele insistiu. "Isso mesmo, doutor Vicente."

"Ele, pode ser mesmo que goste de mim", eu disse.

Dahirou me ouvia com interesse, "Um dia você vai dirigir Mussurepe."

"O engenho tem muitos donos", respondi.

"Tem os que o velho quiser."

Procurei desconversar. Cansado da discussão mais técnica, ele se levantou e foi embora. Minha primeira noite no balão foi remansada pela presença do industrial.

Ainda hoje me espanta o cadafalso que é a fala comedida, de homens e mulheres cordiais, mesmo a dos verdadeiramente bons. Qualquer alma esconde mais do que a si mesma confessa, e muito mais do que aos outros entrega como pasto para ruminações de salão. Dahirou, dali, como disse, foi dormir. Mas no outro dia conversamos muito. Recolhia-se, pensava eu, satisfeito de ter em mim um aliado, alguém que a ele se entregou sem requerer nenhuma espécie de prioridade, nem mesmo a comenda duma amizade rápida e recente. Aquela não foi a primeira vez que estivemos juntos, mas foi a mais leal. O que dissemos não era sequer novidade. E o que viria, haveria de vir. De madrugada, e também nas seguintes, pensei nele. Revi o que sabia da sua vida. Lembrei sem dificuldade de você, Zelino, do pintor Balbino Garau e dela, da filha de Dahirou, Ana Corama. A bela.

Comemos juntos, eu e Dahirou, em mais duas refeições a bordo. Enquanto lia, às vezes ele se aproximava da minha poltrona. Esse retorno ao meu redor, servindo uma vontade sua, que eu imaginava ser irresoluta, agora, depois daquela conversa, me constrangia muito. Escapei dele saltando os olhos pelas páginas dum manual de dois tomos, *A quimiurgia moderna*. Dahirou passava por mim com lentidão, certamente pensava no que tínhamos conversado. Talvez fizesse isso só por curiosidade, imagino que era um passatempo seu. Eu, por mim, ainda sentia um vago interesse em saber mais. O que se passava pela sua cabeça era certamente inofensivo, mas nunca pude ter certeza. Enfim, aquele homem era de fora, Zelino, e ele próprio sabia disso. Apesar dos anos que esteve por aqui, de toda sua cautela, o silêncio o traía. Dahirou estava entre nós como o único passageiro inseguro, mas a visão dele, do seu corpanzil delicado e seu cabelo de quase fogaréu, você sabe, impressionava.

Então, na noite do segundo dia, ele passou rente à minha cadeira. "Como vai a leitura?", quis saber.

"O autor é um grande homem", eu disse.

Ele se sentou. Parecia transtornado. Agora eram muitas covinhas que escavavam seu rosto em volta dos olhos e da boca, também apertando-lhe as feições antes largas, porque era expansivo, Dahirou, e seu queixo bem escanhoado. Fechei o livro. Nunca tinha visto no espaço de tão pouco tempo um homem mudar daquela maneira. De repente ele falou, "Veja. Quero lhe mostrar uma coisa."

"O que é?"

"Calma", ele disse. Espalmou as mãos, esfregou uma na outra e meteu os dedos no bolso do colete de seda estampado com pequenas borboletas azul-ferrete. Dahirou, enquanto puxava dali seu relógio de algibeira, tinha a boca escanchada. Creio que riu, mas um riso mudo, espavorido. Sei que esse homem era o contrário disso, do que vou dizer agora. Aliás, continuava impecável. Ainda era um espetáculo aos que o vissem de longe, inteiro, recostado. Mas sua face macilenta, seus olhos empapuçados pela noite alta, talvez por pensarem na filha, em Mussurepe ou Santo Antão, seus olhos agora faziam do industrial uma pessoa descuidada, de maneiras quase trêfegas. Aquele gesto de sacar o relógio e vir mostrá-lo à mão sem, no entanto, soltar a correntinha do colete, retendo-o por sua ligadura reluzente, por aquele cadarço umbilical sempre pegado ao objeto, isso realmente era de se espantar. Foi a única vez que vi um modo ostensivo, grandiloqüente, dirigido a si mesmo, nele, em Dahirou Corama. Possivelmente havia bebido. Foi quando então pus os olhos em suas mãos e, nelas, aquele instrumento dourado repicava um rumorzinho bem marcado. Seu vidro de cristal, a porcelana com numerais romanos e os ponteiros apontavam para longe, em dourado dezoito, uma hora que ainda era a do Brasil nas localidades de Babaçuê, Santo Antão, Camocim, Estreliana, Santa Rita, Pumaty, Geirolas e, afinal, também em Camarão, Tombador e Mussurepe. A hora em todos esses engenhos de açúcar era o tempo da Mata Sul pernambucana, enquanto o zepelim riscava o ar e eu ia adiante, agora sim, mais espantado que nunca.

"Este relógio pertenceu ao arcebispo Tribot, tio de seu pai, o velho Anquises Campelo", ele disse. Olhei a peça. Tive-a nas mãos. Seu peso, para o tamanho, era notável. Inclusive, sobreviveria a nós dois. Aquele relógio seria mais longo que nossa última expiração. "O velho Dueire, seu avô, já me ofereceu uma pequena fortuna por ele. Não vendi", Dahirou falou.

Fiquei calado. Do homem para as mãos, daí para as minhas, aquele marcador, de que eu tanto já tinha ouvido falar ligado ao nome do nosso tio-avô, o arcebispo, este sim o verdadeiro homem ilustre da família, o relógio tinha agora toda a minha atenção. Vi que marcava três e quinze. A hora errada.

Não me lembro do que houve depois. Sei que fui dormir. Ruminei aquele gesto de Dahirou. Estava ou não me oferecendo o relógio por dote? Adormeci sem saber como, mas logo bateram à porta. Levantei de robe mal atado e ouvi, aqui e ali, o vozeirão dos tripulantes furiosos. Pensei, será uma emergência de vôo? Não era. Dahirou, amarfanhado ainda com as roupas do jantar, gritava como nunca o ouvi fazer.

"Aio dum três tio! Aio dum três tio..."

Dizia isso com a voz enrolada, pelo que ouvi, do pouco que pude entender, pois provavelmente falava numa língua estrangeira. E o som dela é o que agora me soa assim, *Aio dum três tio...* Enfim, não pensei que fosse nada, talvez só o efeito do vinho, até que de repente gritaram comigo também. Entendi que queriam que eu o acalmasse. Os passageiros já saíam das cabines e o capitão viria logo. De longe falei, "Espere aí, coronel!" e acenei, porque ele já ia entre meu leito e o corredor que dava para a ponte de comando. Vinha na direção dele um comissário trazendo uma corda grossa.

Zelino, juro que foi só um segundo. Quando dei o primeiro passo no mesmo sentido, à direita do corredor, Dahirou se virou e, largando-se das mãos do comissário, voltou o corpanzão, deu dois passos de lado, apanhou uma maçaneta vermelha, como se fosse uma aldrava de metal esmaltado, girou a peça e destapou uma porta, a que agora se abria para a madrugada, e ali era o céu imenso por cima do Atlântico.

Então Dahirou, naquilo um homem verdadeiramente tresnoitado, pulou para fora do balão. Corri e ainda pude ver seus óculos caídos no chão. Apanhei-os. Avancei até a escotilha e pus a cabeça na noite. Zelino, era o pai de Ana Corama que tinha pulado. Ele próprio, naquela hora, decidiu dar o salto. Eu vi. E, tombando no ar medonho, Dahirou certamente também me via. Entre nós dois e aquela ventania, ficamos atônitos, o mundo inteiro atônito acima e abaixo do corpo cadente daquele estrangeiro.

Agora que volto a esses eventos de quando primeiro fui à Alemanha, resumo a cena e novamente avalio o falimento dessa viagem. Largo bastião de lealdade ao açúcar de indústria, foi Dahirou. Seu exemplo ainda ressoaria por tempos. Deixou a filha sem qualquer descendente para os Corama. Mas o sentido desse nome seguiu profundamente arraigado naquela moça, em Ana, que há muito o adotou para se livrar do que não se sabe se era passível de descarte ou aniquilação. É certo que, ela sim, se lembra do que quer que tenha ficado para trás. Ana Corama era difícil que esquecesse alguma coisa. Sua memória partilhava com nós dois, Zelino, o gosto pela insistência, o apreço da repetição mudinha, privativa da gente. Seus olhos, porém, diriam para dentro o que ela visse cá fora. Entretanto mais fechados, viam bem fundo o que sucedera por causa dos outros, o seu pai. Naquela época era muito diverso o sentido de se estar só. Corama podia ser a que melhor nos explicava, porque tinha tudo absolutamente já por dentro de si, incrustado. Guardava como tatuagem, sob sua anágua branca, irascível, a história da origem e da primeira queda de Santo Antão, do dono e das suas partes. Ana Corama ainda copiaria em corpo miúdo, para quem a biografasse, o atropelo e o sucesso daquele engenho, e também a sua extraordinária multiplicação em usina.

Porque Dahirou, enquanto caía, seu corpo era uma estrela arruinada. Ali retive seus óculos de aros redondos e grossos o tempo todo em minha mão. Verguei-os sem sentir a sensação de envergá-los. Com as pernas e os braços lançados para fora, movido em rotação, aquele corpo perfurou uma nuvem rósea, plana, muito densa, como um dedo que cometesse peso contra a forma balofa e espantosa dum algodão-doce total. Dahirou se afastava de mim enquanto crescia o espanto no balão, e ficou só um ponto no meu horizonte abaixo do zepelim. Era o mar, ele seguindo rumo às águas com a calma do meio da viagem, creio eu, pois sua decisão tinha sido tomada há tempo. Caía mais e mais, manchando o que vazava, rodopiando em espiral. Varou nuvens multicolores que amanheciam alaranjadas, amarelas, enfim, inteiramente alvas. Ia certamente estancar seu suspiro não em tenro doce, mas repelindo água salgada, então finalmente mergulhou na lâmina crespinha de azul-aço e ali espinicava de vez o próprio Atlântico. Água onde corpos se agitam sem contenção, gulosos uns dos outros, e se igualam de sal a sal. Dahirou era o próprio homem. Refazia o estalo primitivo, depois o último; foi assim que se devolveu de vez. Mas agora, não custava perguntar, por que justo naquela viagem? Por que cambalear de dentro do balão e safar-se por uma mera escotilha desacatando uma tripulação aturdida, intraduzível, que gritava comigo em alemão, tirando-me à força daquela janelinha de onde soprava um vento friíssimo e, junto com ele, a última visão da figura intranqüila de Dahirou Filhó Corama?

“O impulso máximo, que acelera a tez e mostra ao ouvinte, à companhia atenta, a crise dum fôlego hesitante, as mãos já trêmulas, esse impulso refreado pelo hábito da dor é o que se pode chamar de *alma*, não é, Vicente?” Quando lhe disser isto, sei, meu amigo vai concordar comigo por não querer de volta o tom da disputa inútil. Faz seu modo antigo. Mede o que me diz. Vê minhas canetas mergulhadas no porta-lápis pousado sobre uma mancha livre de pó. Seu odor terroso ainda agora me lembra a vez em que riscou nossas iniciais no tronco de uma bananeira, aquele vão hoje cimentado pela escavação da cisterna. O rapaz Vicente Campelo apontou e me disse um olhaqui enfadado, enquanto eu lia *V&A* vazado no bojo do coração verde e torto. Tínhamos dezessete anos. Senti meu rosto enrubescer pela frouxidão da raiva de mim, uma sanha incontida por não largar a ira que lhe devia. E com uma tesoura dilatada pela pugna da ferrugem, minha mão guiando sua mão, rabiscamos de vez aquela denúncia bruta e adolescente. Faz tanto tempo... “Enfim, é isso mesmo que se pode chamar de alma, não é, meu bem?” Mas Vicente me ouve calado.

Estampada na concha entre as patas de um tigre, hoje vejo no robe de Ana Corama a lenda que também me imprime o velho gosto daquela lição. As folhas da bananeira são suficientemente amplas para ocultarem um primeiro amor. “Alma ou não, Ana, venha se sentar aqui”, digo, e faço assim com a mão mostrando seu rumo para cá, mas ela não vem.

Não vou. "Você se lembra da bananeira do jardim, meu bem? Qual de nós dois pode de fato colher o rebento dessa espera?", repito a pergunta e meu amigo novamente se senta.

Sentado, observo-a. Vejo que Ana me copia. Povoamos o fim da noite com o odor das bocas, enquanto ela escreve o que lhe digo e meu interesse acompanha suas mãos dementes pela nesga de azul que vem da madrugada. "Ana, você me olha e se admira das nossas histórias repletas de aves e maquinações..."

"Parece que para você, Vicente, as pessoas são ora animais dóceis, ora a imagem turbulenta do próprio Lúcifer." Irrito-o por chamá-lo de meu químico ingênuo e medieval. "Somos como aquelas duas crianças do conto de fadas, meu bem. Brincam de se beliscarem. Riem da potência dos seus ferrões. Disfarçam a dor que sentem em favor da manutenção do seu ritual de par. Mas o adiamento da força bruta os leva ao ponto da concessão. Um deles, por não agüentar, belisca menos e maneira o afã, finge ser mais fraco do que de fato é. E então o outro imita a regressão do arroubo. Ambos sabem que o primeiro sangue que um arrancar do comparsa transformará o brinquedo dos dois na memória duma estupidez. É assim que se ama, Vicente, ouviu?", conto-lhe a historinha e calamos pelo tempo de reaver o fôlego. Eu sossegada, ele em silêncio. Baixo a cabeça, vejo na mesa à frente o traço acriançado da minha caligrafia manchando papéis de meu pai com o antigo timbre de Santo Antão. O silêncio apouca a luz e dá às letras uma impressão cintilante. Então meu amigo põe a cabeça entre as mãos e baixa-a até a altura dos joelhos, faz seu ar de homem-rã.

> Novamente busco na duração da volta ao corpo opaco, que é a noite, a definição do rosto de Ana Corama, seu modo falaz e refreado, uma voz movediça que sai da boca duplicada pela dobra do lábio, se ela sincera sorri. Ana revoga sempre que me vê a sensação de que agora, enfim, serão dois passos os que nos levarão ao mesmo ponto, um meu e o dela. "Corama, das suas brincadeiras vem sempre uma ameaça de separação. Há nesses modos, eu sei, todas as práticas da mulher."

"Lembra quando você me abriu a porta do carro, eu vestindo uma saia carmim de pregas? Ofereci a mão e você fingiu, não quis nem saber! Então me apoiei no volante do automóvel e saltei sozinha, sorrindo. Ria de você, estúpido... A gente negava o que mais queria. Ouvi dizer que também acabaram com o chalé grande. O prédio do escritório da destilaria virou um mercadinho. Voltei lá uma última vez. Arranhava o capuz do carro com meus anéis chamando-o de volta, riscando seu nome em pleno ar de julho, e Gaetano ao meu lado não entendia nada. Então desisti e disse a ele que já era hora de regressar ao Recife."

> "Você também tem nos olhos o mesmo baque de seu pai, Ana." Digo-lhe isto enquanto Corama defende a idéia de que éramos três inocentes.

"Você acha que foi um erro?"

> "O quê?"

"Voltar lá, depois. Com você..." Vicente me ouve, fica de pé, imóvel. Acompanho a volta que dá em torno da mesa, do sofá em que estou.

"Esqueça isso, Ana!", tento mudar de assunto. "Ontem sonhei que nós dois varávamos a noite e, rondando ao redor, vinha um diabo de quem eu queria escapar, mas você não. Revejo agora a figura do Coisa, sua cauda limosa, grave, rosada de tão viva e coberta por uma malha de veias azuladas. Foi com esse chicote pontudo de carne que ele arremessou você contra a encosta dum monturo. Isso não amarrotou, sequer, o colete de casimira negra dele. Então eu voava até os seus pés e via o que houve. No sonho você está cansada e completa. Eu, inseguro mas orgulhoso."

"Esse demônio, todos os demônios que aparecem para você, e só para você, meu bem, são sempre arteiros."

"No sonho era Asmodeu, o peste que espreita vidas de casal, destelha lares e faz perder a barriga das mulheres. E você, Corama, em pleno desafio a ele."

"Às vezes você parece louco."

Ana Corama, seu sapato de cetim pérola, as meias de fio retilíneo, luvas e chapéu a postos. Ao alcance da mão, um telefone de ebonite fosco e grave. Falo e falo apenas para desvendar o rosto dela.

Agora meu amigo se cala.

Calados, estamos mais perto um do outro.

"De perto seus olhos são ainda mais claros."

"Os seus, mais escuros."

"Me abrace, meu bem. Venha, só um abraço."

"Se eu beijar você na boca, Ana, seremos novamente um deus danado."

"Asmodeu!"

"Asmodea!"

E rimos, eu e ele, nos chamando pelo nome daquele diabo... Vicente parece outro. Então o chamo para que se deite no chão.

Rimos um riso dobrado e, penso, como ela está linda! "Imagina se Gaetano entrasse aqui agora, bem ali. Travaria os dentes já cerrando os punhos. A visão daquele rosto ia parecer a figura de seu pai, Ana." Vejamos se essa mulher agüenta o entrave que é ouvir um marido furioso evocar um pai expirado. "Gaetano, com os olhos miúdos de raiva, bufando, viria como se quisesse a última gota da minha pouca respiração."

"Eu sei", digo, e me lembro das vezes que vi, da mesa, Vicente me olhando à noite, enquanto eu rabiscava o caderno com as historinhas para o meu próximo livro, *Aviário oeste*. Então me fazia de desligada, remexendo no porta-lápis de vidro azul cheio de canetas coloridas. Esse alvoroço dos dedos buscando a tinta correta lembrava a ele, me lembra, ele disse, o marulho duma tempestade num copo d'água. Vidro é água.

O marulho duma tempestade que ela copia enquanto me vê e me ouve dizer o que foi aquele tempo... Digo isto a ela e Ana balança a cabeça, fazendo que não. Agora folheamos o velho álbum de retratos de Santo Antão, vendo nas folhas grossas de papel cartonado o preto e o branco refazerem as tintas do que antes parecia melhor, dizendo aqui e ali quais eram as manias dos nossos mortos. "Aliás, Ana, hoje como é que você vê essa gente?" Ela me ouve e abre seu caderninho, então relê.

"Lume, e todas as mulheres tinham a cabeça toucada de panos..."

"Toucada como ainda hoje vai a sua própria cabeleira, Ana. Com esse fichu mostarda aparando-lhe as mechas."

"Toucados como os seus olhos, meu bem, sempre rebaixados."

"Mas o que é perigoso mesmo, mulher", e é disto que quero falar hoje, "é ouvir do outro uma ameaça do tipo, eu te amo. Sem mais nem menos."

"Mas eu não amo ninguém, Vicente. O amor já voou longe, seu estúpido."

"Você diz que não, mas se perde armando nossas historinhas nesses livros para crianças. Que crime."

"Eu digo o que houve, meu bem. Parece que você não prestou atenção a nada do que falei."

"Nessas *historinhas*, Ana Corama, ficaram mais curtos ou mais longos os campos de seu pai?"

"Às vezes você é tão bruto." Afinal meu amigo se deixa vencer pela memória do pânico. Late como se falasse de sua cadela morta. "Você está bem, Vicente? Continua bem?"

Ana Corama brinca comigo e aviva em mim a lembrança dum tempo ermo e dum cão defunto. Por puro reflexo, falo que mulher também mia e late, embora atenda e seja feliz. E isto é muito, porque o homem, eu mesmo lhe digo como é. "Logo após nascer, matamos e morremos sem sabermos jamais do amor fiel." Ela me ouve calada, pensa que minto.

Agora ele mente.

Ana não tem certeza de quem fui.

Vicente sabe que amei outros homens, mas me jurou que ele próprio praticamente não teve mais ninguém.

De repente ela fecha o álbum, tirando das páginas o estrondo dum tambor de circo.

Tapo esse velho poço de papel, Vicente se admira.

Com cuidado, ela o põe de volta na mesinha de centro. A mesa com tampo de cobre reluzente, tão polida, reflete nossas caras e mãos distorcidas pelo rubor do metal. Este, sim, é um espelho fiel.

Naquela época havia mais esta. Em Santo Antão, de um traço só e sem tirar o lápis do papel, o pintor Balbino Garau copiou numa folha de resma a figura de seu rosto, do menino inventor e herdeiro. Um rosto mais ancho e parecendo são. "E aquelas bochechas, as suas, Vicente, atiravam às próprias maçãs a cor que quase sempre colore essa fruta. Mas como o desenho era em grafite, a tez que lhe é própria não se vê. Por isso, por querer reparar a magna impressão da beldade, mestre Garau deu a você pálpebras decaídas e uma boca entreaberta, esse velho traço de família. Assim, no croqui hoje amarelado, ele dizia ao mundo que naquele instante exalava de você, meu bem, a saúde e a tristeza dum filho que, pelo vão do espaço que o cercava, vivia só e insulado demais."

Ana Corama aponta para o desenho que Balbino Garau me deu. Eu lhe rebato o golpe. "Sua boca de poço, tão freqüentada e tensa. Queria ver era o pintor fixar isso..."

"Essa condição marcada no papel, os olhos quebrados, meu bem, assim também foi a sua pré-história."

"Meu amor..."

"O que foi?"

"Pare com isso, Ana."

"Paro se você largar meu braço."

"Largo se você me fizer a graça de vir sentar aqui."

"Não tente me beijar de novo, Vicente", e me afasto. Ele se irrita.

"No fundo, ainda a mesma madalena medrosa. Juro que você não tem mais por que se preocupar com a minha boca. Agora, como dizia meu irmão Zelino, vôo sozinho. Quero uma vida nova."

"Já eu, meu bem, quero a de sempre. A que vocês me tiraram", e levantando-me dali, a caminho do quarto, digo a ele que não se esqueça do principal.

"E o que é, Ana Corama?" Essa mulher agora me dá as costas.

"Aquilo que você, seu estúpido, nunca aprendeu direito. Ouviu? Deve-se amar sem metáforas."

Retive do meu irmão Zelino, neto do sétimo prefeito de Igaraçu, a imagem dum menino leal, embora envergonhado da condição abastada de nosso avô; homem quase sem instrução e de quem ele herdou o mesmo nome, José Wellington Dueire. Hoje, que inicio mais essa viagem, se tu me serves de consolo, se me serves talvez de limite, invoco teu nome, Zelino, e ponho-o aqui na portada por ser ao menos um começo franco. Por ter sonhado esta noite com teu corpanzil sem pêlos, que se via quase inteiro quando pulávamos da ponte do Poreja e, rindo, reluziam teus dentes mais amarelos que os meus.

Zelino foi o único parente rapaz a quem abracei com gosto quando em princípios de 1927 cumpri com a prova de capacidade para o diploma de químico industrial. E naquele tempo, sendo eu menino de vinte e dois anos, ocioso e titulado, que outra maneira havia de ficar mais perto do Recife senão acatando, por insistência dele e do nosso avô, um estágio na velha fábrica de Goiana? Como prova de titulação escrevi, muitas vezes ouvindo nosso avô declamar à noite o verso em que Augusto dos Anjos recorre ao escarro, meu primeiro opúsculo, *Da fermentação em etapas*. Relendo essas páginas, hoje vejo que ainda sou o mesmo e me orgulho disso, mas também sorrio um pouco sem graça por encontrar ali a centelha amarga da minha velha curiosidade, do zelo por uma indústria que nos últimos quarenta anos me ocupou demais, elevou e dissolveu minha rotina, para então finalmente me fazer descer pela urgência que ora me convoca.

Ontem, quando baixava o chapadão das Russas em direção à velha usina, guiando em seu balanço sinuoso, já remoendo o que veria adiante, numa dessas curvas, desatento pelo pasmo que vinha, súbito senti meu carro saltar duma só vez dez sacos de carvão. Foi um susto grande, mas passei ileso por cima do recapeamento do asfalto. Voltava a Santo Antão por ouvir dizer que iam desmontar outro dos meus decantadores. Dos onze que instalei nas empresas da região, apenas três estão ativos.

Ora bem, buscando ainda hoje a mão daquele que me valia e coçava minhas costas, e eu mais ainda as dele, acabei catando num canto de ais as faltas do meu irmão, minha vexação fraternal, o olhar sombreado de Zelino, mestre completo em arte de aves. Fiel à sua lembrança, remexo as formas dum tronco nodoso. Mais ainda, cavouco entre caules e folhas que talham.

Sob a copa vazada do tamarineiro vejo aqui, no chalé grande, agora que cheguei, a bóia de pneu que numa tarde, porque era sábado, levamos para saltar da ponte do Poreja. Eu ia correndo, ele não, e ouvi Zelino me dizer, "Um dia você nem imagina que tudo isso vai virar partido para Santo Antão moer. Mas quem você acha que vai cuidar do cálculo da decantação?". Ele tinha razão, quem? De noite, já no quarto, com as pestanas coladas de sal, as dele, não as minhas, desenhei ao léu a planta dum laboratório, do subterrâneo à cúpula giratória e no topo avançava um telescópio, tamanho era o exagero de meu arroubo juvenil.

Zelino acordou, me viu colado aos papéis. "Vicente, você desenha é bem, rapaz...", ele disse, e riu alto.

Estaquei num gole de refresco, afastei o copo com certo rompante e, por pouco que tenha sido, o volteio do líquido marrom fez o suco esborrar no meu rosto. Mesmo docinha, a bebida salgava na boca. Enfim, pela primeira vez quis machucar Zelino. Diante dele, sem querer aspirei um caldo ruim, mas meu irmão já me afagava o ombro e acabei, até hoje não sei como, imitando mais uma das suas risadas. O riso que, por certo, dávamos de mim. Começou ali, creio eu, meu impulso em direção à sucroquímica, e também a certeza do meu interesse nas opiniões de Zelino, minha desconfiança de que nessas caçoadas, na sua mania de se esconder de toda a gente, porque ninguém mais o achava, já vinha em lento cultivo o gérmen de ele querer o que mais queria. Aquele motor que depois seria, anos atrás, ele finalmente ter desaparecido de Santo Antão.

Verdade que antes disso, tu mesmo sabias, Zelino, fizemos o máximo duma época que não se queria menos que o auge para cada um de nós, para todos. Em Santo Antão tudo era insensatez mascarada em ousadia. A maquinaria renovada, com sua caldeira rubescente de quinhentos hectolitros; o caminhão inteiro no basculante sangrando, depois de despejar a carga imensa; o mel no parafuso se enroscando numa viscosidade de âmbar quase negro; o longo bueiro de beiral supertrabalhado, que de longe se via; a lenta viagem aérea do molho de cana; o mestre Fersoza, turbineiro na contraluz da caldeira e, lá fora, o imenso e maquinal casulo cachimbador; todo esse equipamento marcou, graças à química de engenharia, a superação cabal dos velhos tachos de engenho, do trabalho primitivo e forçado, inferior mesmo, fazendo da usina, através do vapor da 21 apitando pelos seus quase cinqüenta quilômetros de trilho de bitola larga, agora sim, o puro espetáculo das sensações modernas; um show que se exibia tranqüilamente na moenda tripla mastigando o monte enfeixado, no xarope da turbina, que vinha rolar depois de passado pelo esquenta-caldo e, por fim, na própria dança das balanças automáticas, de ensacada nova e bem medida, cada porção de sessenta quilos cerzida na malha do saco marcado como *cristal*, *demerara* ou *grã-fina*.

São essas imagens da destilaria, do decantador com patente renovada, da ordem monótona e progressiva da esteira rolante, da dosagem da cal logo após o caldo vir da máquina de moagem que hoje reabastecem minha visão dum passado que, digo, mesmo que não concordem comigo, foi sim arqui-são. E de tecnologia totalmente progressiva. Sei que na América é assim faz tempo, mas começamos bem antes e nunca estivemos muito atrás. Como é possível que tu mesmo, Zelino, tenhas vivido em Santo Antão sem te dares conta de que o melhor de nós estava à prova bem ali, diante dos nossos olhos, na meticulosa análise do cristal, do grau do suco, do volume decantado?

Essa lembrança me veio ainda ontem, na vinda para cá, na viagem que fiz para desmontar o decantador de Santo Antão e recolher as placas com o número e a data do meu registro de patente.

Mas, então, meu carro derrapou no carvão que servia ao remendo da estrada. Parei em seguida, cem metros depois, e conferi o saiote que protege o tampo por baixo do motor. Ali, aparentemente, nada de mal. O susto me fez ver, logo depois, que ia pela entrada de Chã Grande, justamente onde costumávamos caçar.

Revi o pé de tamboril ao lado da casa do velho Balbino Garau. Passamos ali férias animadas. Aliás, faz tempo que me veio a idéia de, pensando nessa época, tentar entender uma mania do meu irmão. A de querer catar suas aves por bem ou por mal, se regalando no golpe de arapuca ou no tiro de chumbo. E já que compete a cada qual, perseguindo ou esperando, a paciência de seu próprio ofício, adianto uma anedota que, sei, pode ser a chave para se compreender as relações de antagonismo e confraternização em torno a qualquer evento que envolva a morte, ou a constante imaginação da morte. Para uns e outros, é claro, esses momentos serão sempre inesquecíveis.

No verão de 1929 voltamos ao chapadão das Russas buscando apanhar naquela temporada alguma peça de pato-real, então ainda abundante no brejo das baraúnas. Ora, não é nenhum segredo que a perdiz-vermelha é a espécie mais cobiçada pelos que, como eu e meu irmão, e ele mais ainda que eu, praticam a caça. Pois chegando ao lugar, Balbino Garau falou animado, "Este ano há delas!".

Zelino me convenceu a mudar de plano e caçar com cão de parada, quando sabia que meu modo preferido era sair em batida. Trouxemos a espingarda que havia sido de nosso pai, uma calibre vinte, mocha, Webley-Scott, de fabricação inglesa e que chamávamos cotoco, por ser mais curtinha e, embora de menor alcance, leve e muito precisa. O mestre Garau nos arranjou dois secretários e, na manhã seguinte, pouco antes de amanhecer, era o caso de sair à cata da lida e do sossego breve que é o desporto na cola desses protagonistas mais raros, hoje impossíveis de se achar.

Há, sim, nessas ocasiões, pessoas de atitude menos dignas e às vezes incompreensíveis. Digo isso porque a falta de controle no ato venatório causa a extinção da nossa fauna, e mesmo já arrasou espécies de beleza sem par. A coordenação dos princípios, a motivação certeira, uma ausência de dedo esfaimado, as cortesias que se há de fazer. Saber, por exemplo, quem tem a vez do tiro, e mesmo as orações a Santo Humberto, tão a gosto dos populares, tudo isso rege uma prática merecedora de tanto respeito quanto as Olimpíadas. Entre os pagãos, ou os que preferem um ritual mais clássico, não é difícil o caçador portar na memória ou nos bolsões uma frase latina, a figura de Diana empunhando seu arco-e-flecha. Ora, esse era precisamente o meu caso, que no pulso esquerdo amarrei uma medalha, imitação duma moeda romana com o perfil daquela deusa mimosa. E confesso, já que hoje tudo é de confessar, que o cunho do metal me lembrava mais o modo da nossa Ana Corama se fazer de pensativa. Por ela e por minha sorte, não custava trazer comigo aquele amuleto charmoso, catado do fundo do pote de louça de doce de caju onde Anquises, nosso pai, guardava as bugigangas da sua última viagem à América.

Entramos na casa de Balbino já quase com o dia escuro. Reparei logo seu salão de paredes grossas, suntuoso mesmo com o reboco comido e o chão ladrilhado em mosaico vermelho e branco, iluminado à luz de gás. Não esqueço o ponto alto da cumeeira, de onde pendia um fio de sisal laçado a um sininho de bronze, que o pintor sacudia requerendo assistência. E como o carro com os cachorros não tivesse chegado com a perdigueira Fedra e o cão Cícero, Zelino disse, "Vou esquentar o dedo nos morcegos..." e me chamou lá fora.

Eu ia? Apostava para ver de quantos erros meu irmão precisava para acatar a humilhação imposta por criaturas que nem sequer abriam os olhos para o vôo. Seria um desperdício. Então Zelino se postou no alpendre e esperou. Passavam rasantes no beiral da casa bandos de morcegos que não sabíamos qual queria sangue, qual somente o suco das frutas do pomar logo ali, pouco além. Mas o ziguezague não confundia meu irmão. Eu mentiria se dissesse quantos tiros Zelino disparou, ou quantos pegaram, porque vários se perderam, mas os poucos alvejados davam motivo para se comemorar com animação. Éramos nós três e os secretários com as mãos para cima, balançando os braços como se fosse o caso de agora ir cobrar aquela caça asquerosa. Eu mesmo me empolguei, mas sabia que se pedisse a cotoco faria feio. O velho Balbino, creio eu, no fundo sentiu ali, e deve ter sentido mesmo, pelo pouco que falou, saudades do tempo em que ele também se distraía com aquele tipo de pontaria.

Enfim, juntamos as cascas de cartucho seco e Balbino puxou o sino pedindo que tirassem o jantar, uma galinhola capoeira preparada no sangue da própria mais um pouco de açúcar mascavo. Escureceu e passamos para a sala, falando bem da saída de amanhã cedo, um dia que depois aprendi a dizer, foi funesto.

Pois o teto alto, sem forro, e lá em cima os caibros e as ripas entrelaçadas por encaixe, como num cesto marchetado e marrom, alongados pelo breu da pouca luz sulcando-lhes o espaço vazio, tudo isso dava abrigo a besouros de bitola variada e mariposas de pelugem amarela e azul. Então vi que talvez fosse o caso daquele morcegão, que passava para lá e para cá, voando baixo dentro de casa, haver entrado por entre as frestas do beiral vazado ou pelo vidro roto do óculo circular, que dava uma feição bizarra à fachada da casa. Aquela criatura vinha cobrar, pelo incômodo do nosso sono, a derrubada dos seus pequenos. Contra isso copiei as figas que Zelino fazia, mas rindo de mim mesmo, de nós dois, na verdade, por tola que era essa precaução, já que se sabe, a grande maioria desses bichos corre atrás de polpa de fruta e não pensa jamais no terror do sangue humano. Mesmo assim, olhava para cima e de lado, apontando os dedos para as sombras e para a cama do meu irmão. Zelino dormiu primeiro que eu e, ali, trancado nas pontas dos seus braços, vi o sinal do espanto dele, a fé que tinha em gestos que pareciam ser de pura superstição. Meu irmão dormia com as duas mãos fazendo figas, e nisto eu por inútil que fosse lhe repetia a dose, envergonhado de nós dois. Éramos uns caçadores frouxos!

No quarto, antes de dormir, perguntei a Zelino se ele sabia por que Balbino Garau era chamado, pelas costas, de Balbino Doido, quando ele mesmo se proclamava artista e livre-pensador... A história vinha da época em que a estação Humboldt começou a marcar as aves de migração, os passarinhos que, voando pela fazendola de Balbino, traziam de fora braceletas pegadas nas canelas. Voavam vindo do norte até cá embaixo. Por força de colecionar essas anilhas numeradas, o pintor quis derrubar qualquer uma que lhe passasse por cima. Balbino Doido. Depois ficou santo, com o coração mole. Parou de caçar, mas permitia esse gozo às visitas.

De manhã, uma coberta de lona verde reluziu fazendo o reparo das telhas quebradas, ruflava no vento e me lembrava as folhas da palmeira-leque de Santo Antão roçando entre si e, juntas, contra o beiral do chalé grande, cujas sombras e seu ronco típico, ronco de riscar a parede do meu quarto, tanto tempo me acompanharam nas madrugadas de estudo. Isso faz tempo. Fora de casa, quis sempre estar de volta. Porém, uma vez aqui, ou acolá, minha curiosidade de ver o mundo doía. Pensava, a usina dorme? A cidade, não. Naquela manhã, na fazenda de Garau, todas essas noções voltavam pelos poucos meses de meu primeiro bigode.

Logo cedo viera na caminhonete Benz o par de cães. Vejo como se fosse hoje. Desce Fedra, desce Cícero. Saltam da caçamba latindo. Pulam ali em volta levantando pó, rodopiando os corpos, Fedra apontando a língua rosada para o côncavo das minhas mãos, rosna de contente e até ri dum riso que é uma graça. Cícero, fazendo igual, empurra a mãe-cadela mais para perturbá-la do que para me prestar saudação. E com os cachorros mais calmos pelo agrado da água fria e das iscas de pelanca, finalmente partimos em direção ao chapadão, onde os arbustos baixinhos e de mata mais seca escondiam, Balbino nos disse, bandos e bandos de perdiz-vermelha. O que naturalmente era exagero seu.

A vegetação perto da casa, mais folhosa e úmida próximo ao brejo, aos poucos dava um salto e se estendia num platozinho de terra amarela e pedregulho, até se perder de vista. À esquerda e à direita cercas de avelós dividiam as glebas dos vizinhos e, passando por baixo daquela maranha verde, eu fechava os olhos com medo de o leite pingar no rosto e me cegar. A partir dali, passada a cerca, era um cheiro de madressilva pisada, eram aqui e acolá as mantas de florinhas amarelas subindo pela encosta das pedras rasas e compridas, alvas como se fossem poças de leite derramadas num tapete lanoso, verde e marrom. Assim era o campo do chapadão. Então vi no rosto de Zelino a direção que ele queria me impor naquela caçada; o vezo baixo desses olhos azuis, semicerrados pela sensação de ganho da presa, do triunfo no tiro, e ao mesmo tempo sempre uma vergonha arrependida de não se poder dotar a ave novamente de vida... Ele era melhor que eu. Há um pesar prazeroso em se deixar resvalar no erro, sobretudo no erro que exige o apuro das mãos, a excelência no disparo certeiro. Para qualquer caçador reto, a circunstância atenuante do consumo da caça, da quantidade nunca excedente, abatida apenas em vôo, jamais na traição do rés-do-chão, nos garantia a segurança dum perdão antecipado. Zelino me via gostando de acertar as codornizes e os nambus alvoroçados pelo farisco de Fedra. Eis o que era naquele tempo a consciência saudável dessa atividade. Ali havia um nível mental altamente escrupuloso, quase ritual. Aos poucos, com a cotoco em punho, competi com Zelino no número e na sorte daquele tiro salutar, tiro sem desperdício nenhum. Várias vezes, após a caçada, revi nas saudades esses momentos impossíveis de repetição. Era um prazer as camisas ensopadas de suor, o cheiro do mato pisado, um galho desviado do rosto, o piado de aves sem interesse de tiro e nós dois revezando a vez, adiante ganhando o planado em tempo ainda de voltar com luz.

Porém, meu irmão se antecipava. Desconfiei da nossa última conversa. Vi no seu rosto o prazer da vitória dada como certa. Sei que, dele, Corama se admirava ao mesmo tempo que lhe repreendia o modo indolente, a falta de esforço em prol de um plano para a vida em geral, o aparente conforto da herança que lhe prometeram as desmesuras de nosso avô. Eu, naquilo igual e diferente dele, escolado no começo da minha química, sempre lendo até tarde, desenhando e mesmo arriscando-me noutras línguas, recebia de Ana somente o aperto respeitoso e distante duma mão retalhada por linhas miúdas e confusas, uma vida que apareceria a qualquer cigana como sendo sem direção, a vida da bela Ana Corama. Como era que ela, tão nova, poderia corrigir o rumo daquela desunião, o feitio de duas vidas em tudo aparentemente desconexas? Olhei de lado e vi Zelino fazendo pontaria, demorando demais, falando com Fedra. "Vai lá, Fé!" Senti raiva.

Pois cace o que vê e não vê, Zelino. Atire mais longe que eu. Coce a coronha de pinho-de-riga com seu queixo fino e os dedos longos de expectativa. Mais adiante vai o céu, a poça e a amplidão da poça, que é o mar. A imensidão que dá e tira o sal de quem vai abaixo e acima dele, sal que agora pinga por nosso suor e é chupado pela terra de volta ao centro, onde funciona o velho motor de tudo, as reações dum planeta que você mesmo não entende. Tua cotoco, que tira a distância entre nós e os pássaros, que serve de consolo às tuas asas depostas pela nossa irmanação; meus olhos rasos, os teus profundos; minha mão canhota; tua destreza em ganhar de Ana Corama um lenço perfumado e o verdadeiro nome da família, e mais, o nome do pai da nossa mãe, meu avô Dueire, tudo isso é uma troca que me desfavorece. E contra ti, aguardo minha vez. "Vicente, passe cá a espingarda." És longo como um tiro que sobe do chão, Zelino. "Rápido, por favor, senão perco a vez, rapaz!" E teu chumbo, metal pesado entre nossas aspirações, se alça a vapor, lume, ponte para o além. Tu buscas das penas aquela supercorada, um prêmio para nossa amiga, a futura noiva de outro homem, nosso próprio tio, um fato que até então ignorávamos...

Pois, agora sim, desce mais outra ave ferrugem, veloz pela queda contrafeita, pelo susto da banda do tiro que lhe estancou a espiral do vôo e, dela, do pássaro, faz-se um risco no céu com as tintas dum crepúsculo de plumas, aquela cor de quando se baixa outra criatura que praticava sua velha marcha de ascensão encarnada.

Caçar, o que é caçar? Medir a vida pelo tiro que busca outra vida. Acaso será isso a desejada potência de se poder tirar dos menores o que em nós não sabemos se é maravilha ou acidente? Zelino, cobrando suas peças de nambu e codorniz, e pondo no embornal uma coleção penada que balbuciava seu último cuspo infeliz, o vermelho-rubi, Zelino ia adiante, mas continuava calado. Eu, andando atrás da linha do tiro, via lá e cá a cabeça de Fedra saltar para fora do planado de capim cabelo-de-moça. Suas orelhas balançavam grandes e velosas, e a língua rosada, pingando, mostrava a alegria duma cadela totalmente indiferente ao estampido do tiro de pólvora preta, cujo fumacê abanávamos da cara na vez de cada um. Na caçada, já disse, revezávamos o tiro, passando para lá e para cá o mimo que era aquela espingarda inglesa, enquanto mestre Garau, ainda naquele tempo um homem de muita dissipação, nos esperava na fazenda pintando o quadro que muito depois reconheci na parede dos Corama, casa depois comprada pelo meu avô. Estava ali mesmo, naquela tarde, sendo feito o *Homem das mãos azuis*, a obra-mestra do grande Balbino Garau, nosso artista maior.

Avante ia meu irmão com seu cinto de trinta peças. Andava pesado pelo sacolejo da passarinhada morta, balançando as cabeças, os olhos já velados pelas pálpebras de seda cinza e frisadinha. Na caminhada, por conta da exaustão, pelo poder do fogo ansioso em contar menos presas do que se esperava, por conta do vento quente que observa suas mudanças no psiquismo humano, causando também a intolerância, o sentimento inconstante, revelando o maior ou menor civismo do desportista, enfim, por tudo isso ficamos mais calados, enquanto eu pensava em noivar com qualquer moça que me aparecesse na frente, pondo um fim na disputa por Ana Corama. No meio daquele desgaste, esse seria meu modo de combater a dor que era ver Zelino e Corama celebrando-se na manha de tanta minúcia, de se dizerem Não, mas rindo um para o outro, numa implicância fingida que só me revelava as provas de um sério bem-querer.

Em qualquer percurso venatório, chega-se a um ponto em que o melhor é admitir, já basta! Mas fomos adiante. Pé ante pé e eu agora manejava a cotoco com o cano quebrado para nossa própria segurança. Por trás do buritizal, nos juncos na baixa do charco, longe do terreno onde tínhamos começado, avistamos o lago Constança, sua lâmina coberta por uma manta limosa de folhas verdes, verdadeira laguna serena de plancto. Era uma água grossa aonde vinham beber bandos diversos. Tínhamos combinado, agora só se for a perdiz! Não atirar em mais nada que não seja a perdiz de capa ferrugem, tipo pedrês açu. A que o macho, mais colorido que a fêmea, choca os ovos, alimenta como uma mãe as suas próprias crias... Pássaro terno e cortês. Na minha frente vi a cauda retesa da cadela pegada no faro da caça, o perdigão corria pela baixinha do buritizal. Fedra apurou o focinho, ganiu ansiosa. Amarrada na caça, ela me levava adiante. "Pega. Pega, Fé! Vai, mocinha...", eu disse. Com uma orelha arrevesada pela corrida, a perdigueira avançava no passo da ave, que, dando tempo na distância percorrida, não queria abrir vôo.

Ora, se é um fato mais que comprovado que a caçada revela as pessoas no que têm de melhor ou pior, hoje me espanto com nossa ânsia de querer cobrar aquela peça. A mudança radical no psiquismo das pessoas se faz sempre aos poucos, mas naquela ocasião foi de vez. Muito depois, lembro de ter encontrado num manual de arte venatória a referência a um tipo de perdigoto com um comportamento igual àquele que ali corria vinte passos à frente.

Em primeiro lugar, nenhuma ave gosta de voar com vento pela cauda para não lhe eriçar as penas. Em tempo quente, com vento nordeste, a perdiz anda irrequieta, ao menor ruído levanta vôo sem destino, e tem medo de se esconder; embora cansada e cheia de sede, de bico aberto, corre, corre sem destino, irritando o caçador que a persegue e o próprio cão que o acompanha. Se caçar a contravento como mandam as regras, nem mesmo assim o caçador obtém os resultados desejados, porque a perdiz, devido à sua irrequietude momentânea, por razões de ordem psicológica não espera e quando salta a tiro apenas utiliza o vento para se elevar, mudando imediatamente de rumo, o que complica o disparo certeiro do caçador.

Então, este seria o caso? O ar estava mais quente que de costume, porque naquele ano visitamos Balbino Garau em dezembro. Eu ia irritado pela memória das provocações entre Ana Corama e Zelino. Irritado também pela bossa do próprio gordo Garau, que na sua casa insistia em bancar um rei bufo e enlameado de tinta diante duma tela maior que ele. Talvez essas variáveis expliquem o que sucedeu depois.

Mas ali, boca entreaberta, toda a língua dentro da boca, Fedra corria sem mostrar os dentes, muito concentrada. Fazia seu ronquido fino avisando onde farejava a ave, rojando-se no chão. Caminhamos assim quase duzentos metros. Daí, avançamos contra um arbusto lenhoso e pequeno. De repente deu-se aquilo. Fedra latiu e a perdiz-vermelha saltou a tiro. Levei um susto.

Pedi à deusa Diana e disparei o primeiro cano. O piado típico dessa ave, mas ao invés como se fosse o de outra, foi realmente uma surpresa grande. Só pelo ruflar das asas, vi que era caça maior do que contávamos. Um canto guinchado e repetido agora voava baixinho, na minha frente, espaçando as asas para subir o menos possível, fazendo um vôo de pouca altura. Esse foi meu erro. A perdiz ia a mais de vinte metros. Perdi a curva do seu planado. Úmidos pelo suor e pela travessia do charco minha calça e o blusão pesavam demais. Já arrastava os pés. Pus um diante do outro, fincando nova pose para refazer o tiro, gostei do apoio. Baixei a mira e repeti o dedo no guarda-mato. Disparei o segundo tiro e o cartucho estourou. Fedra fixava atenta a ave revoar na curva curta. O chumbo sete, tarrafado pelo estrangulador do cano de baixo, seguiu seu empuxo e foi até o avejão já quase sumindo na curva do horizonte. O tiro apanhou aquele esforço. A perdiz abateu-se na hora. Ficou imóvel no espaço e como uma almofadinha morna, desarticulada, vinha caindo. Fedra, como sempre, deveria correr até a touceira de jurema com ramos armados em ziguezague pela casca lenhosa e, cadela boa que era, se embrenharia na folhagem pulando alegre com a cobrança da perdiz. Mas não o fez. Estranhei aquilo. O caso é que logo após o segundo tiro ouvi um grito, ou então tinha sido impressão. Pensei, isso será um sinal dos bons?

Um grasnido esganiçado vinha e voltava como por um aviso dc sircnc. Enganci-mc contando com a sorte certa. Hoje desconfio de todo São José que não use resplendor ou cajado. São esses adornos que lhe marcam o fado de ser sozinho, velho e são. Dão o apoio que um homem comum precisa para se alçar à posição de pai do Filho. Meu São José, eu pedia e repetia, sempre me esclareça na hora esquerda... E que eu só traga para casa o que se come e o que encanta... Olhei para o chão e vi o fumo da pólvora rastejando na folhagem baixa, como uma cerração mínima, uma corrente de flamação branca enevoando o sulco escuro por entre as folhinhas miúdas, mais perto do barro. No capinzal, à tardinha, já pouca era a luz. Então eu vi. Fedra se lambia no pescoço, queria se lamber, tentava alcançar o próprio dorso, as costas malhadas de pintas preta e marrom. E dobrando o pouco uivo de Fedra, eu próprio me lembro de ter gritado de pavor e susto. Tive medo, eu como qualquer homem, de que o sangue também pudesse me acontecer de sair pelas orelhas, como naquela cadela. De quem tinha partido a banda baixa daquele tiro, de mim ou de Zelino? O que é que você fez, Vicente? Fedra sacudia a cabeça dum lado para outro, como se enxugasse as orelhas. Seu ganido agora era suave e o suco infeliz, rubro, espesso, minava em volta dos olhos, ela sem saber por que razão. As patas de trás foram dobrando-se, amofinadas. Devia ser a mágoa de ter sido descuidada enquanto fazia o trabalho na marcha da frente, justamente sob a linha do tiro, amarrando a caça que partira num vôo baixo demais.

Foi nessa situação que cheguei ao meu credo final. Hoje sei que, com a só exceção da ciência, tudo mais na vida é igual, e o que puder dar errado, dará. A cadela sangrava caladinha. Enroscou-se. Foi ficando com os olhos baços. Então, pegado às patas de Fedra, tapei seu focinho, pedi pela perdigueira e apertei as mãos esperando pelo último instante. Outra vez, ouvi a morte chegar perto de mim e arrebatar um serzinho latindo com a bocarra travada pelos meus dez dedos. Sacrifiquei quem só tinha por mim devoção. Por exemplo, seu modo de catar os espinhos da barra da minha calça, esse gesto ainda hoje me comove e é difícil de explicar.

O certo é que depois daquele tiro, quando olhei em redor, me vi só. Atrás e adiante estava a planura do Buinhal Novo, dito da Golegã, distante da casa de Balbino Garau mais do que meu fôlego podia dar. Pouco mais longe, as copas de ipê-amarelo botavam naquele dia o final das corolas, agora já apagadas pelo verde-ruge do lusco-fusco. Há instantes em que a dúvida reparte o coração, há outros em que ele próprio, em defesa, se liga e reúne suas invenções. Este era um desses. Quem partiu de mim, o tiro ou a cadela? Onde Zelino? Por que meu pé, pegado ao chão, agora parecia uma raiz aérea, seca e mais triste? Severa ou aprazível, a vida, até aquele ano, tinha sido pouca mas contente. Existi concentrado na minha maquinação do suco, do grau do suco, da perfeição do cristal. Meu alvo era o doce, ou melhor, o próprio fabrico novo do álcool anidro, que propaguei em Santo Antão e em outras usinas do estado. Dali em diante, o que importava? Eu, que cria ter tudo, um mundo todo à frente, aliás, tudo menos Ana Corama, estive a perigo de me perder de medo.

Então desatei o cinto de caça e minhas trinta peças desabaram no chão. Cavei com a faca, cavei com meus dedos. Depus Fedra aninhada naquele covo de barro úmido, sob a sombra dum pé alto de azeitonas-roxas. Ali mesmo abandonei as codornizes, os nambus e a dita perdiz. Refiz meu caminho às escuras e horas depois, quando cheguei, Balbino Garau, sentado no alpendre medindo aquela pintura sob a primeira luz do dia, já outro dia, me saudou com a mesma desconfiança da vez anterior. Perguntou pela perdigueira e me olhou de pé, ele, comigo curvado pela noite em claro e, lá para trás de mim, o caminho que não soube refazer sem tomar desvios e voltas mais longas. Cansei de ouvir Balbino me explicar a urgência da minha própria situação. Contei-lhe do tiro, do grito, da desaparição, enfim, da necessidade do próprio sacrifício.

O gordo Garau, nu da cintura para cima, soltou seus pincéis, creio que estava pronto para me abraçar. Tive medo. Lembrei que ontem, no jantar, Balbino dito doido tinha me mostrado com gosto um longo punhal de cangaço, e que de tanto admirá-lo passei, como ele mesmo, o dedo no cabo anelado de osso e bronze, claro e escuro, perfeito, fiel ao único dono que já teve, disse Garau. "Esse era o punhal do primeiro facínora de Santo Antão, o famoso Pedro Petraxo."

Ele agora falava alto e quase desarticulando o que me dizia. Abanava as mãos como se fossem o vão dum rebenque ligeiro, me querendo. Por cima dos seus ombros, através do peitoril da janela, vi dentro da sala as prateleiras com as fotos do pintor, uma coleção curiosa que não tinha notado na chegada do dia anterior. Balbino de boina fumando um charuto; Balbino beijando uma cabra; Balbino acarinhando uma coruja de olhos abertos; o mestre Garau modelando uma das suas esculturas, a *Mãe de todos*, com um nariz saliente, o dela, ancas muito grossas e as pernas cortadas na altura dos joelhos, aquela mãe feiosa; enfim, Balbino Garau de robe atado e chapéu-coco, os olhos fechados com força, mas sorrindo... Todas essas fotografias estavam em cima do arcaz da sala, em volta duma sopeira de louça com o escudo do barão de Moreno, onde o pintor guardava, por desplante, um par de meias de lã púrpura que usava para pintar em tempo de frio. Talvez pelos olhos empapuçados daquele homem, pela sua calvície quase completa e as linhas fortes da face ancha, que lhe cavavam valas entre as maçãs do rosto e a boca; talvez pela figura retorcida, de temperamento raro, e também certamente pelo gênio da sua pintura, que depois aprendi ser tão desesperada e doce, por tudo isso se deu em mim o que, sem o sono de dois dias e muito pela morte de Fedra, posso afirmar, foi uma mágoa distendida em lenta revolução contra quem fui. Apertei os dedos nos bolsos úmidos. Fechei a cara. Repeti-lhe o que, certa vez, me disseram. "Haja o que houver, és filho de Elena Dueire e Anquises Campelo."

Sou eu quem está detrás da cadeira olhando Balbino Garau olhando para mim, só. Eu, de pé, com os braços cruzados e meu primeiro bigode castanho. Agora tinha pelas costas o grená e o azul dum céu de dezembro, céu de Natal e causticidade. Com as mãos pousadas na cintura, o queixo quase me tocando o peito, fui dizendo que sim àquele homem, de quem ouvi o que nunca tinha ouvido de ninguém.

"É você mesmo, Vicente, que olha a menina dos Corama com os olhos do seu avô, querendo tudo e mais o mundo. E dorme ouvindo pelas paredes o que falam e o que abafam em família e põe a orelha nas portas como modo de arapuca e invoca amigos imaginados, um irmão inventado de pequeno para achar nele o seu contrário, o bom e o mal que desorienta quem lhe quer bem e deseja a cura desse disfarce que só pode ser mesmo a loucura fantasiada."

Calado, ouvia de Balbino Garau o que se poderia resumir assim. Você, Vicente, é uma pessoa fraca e sonsa, que esconde o malefício com o som duma cantiga bonita, inteligente. *Inteligente*, ele me disse, ao que logo balancei a cabeça. Olhei em volta e estava só, não sei onde foi parar Zelino.

"Não tem Zelino nenhum, Vicente! Pelo amor de Deus..."

São José, castigue o Filho do Homem. Imponha a ele a lida da plaina e do formão, e com isso me livre do gigante Garau!

"Me ouça, rapaz. Sua mãe parecia que achava graça, mas na verdade penava com o que você saía inventando. De não ser filho dela, de ela ser cega. De você ter sido adotado. Que adoção? Que é isso, Vicente!"

"Não grite, hein, Balbino..."

"Pela amizade que tenho a você, à sua família, procure alguém. Você precisa de ajuda."

Disse a ele que Zelino tinha errado em disparar aquele tiro baixo.

"Não tem Zelino, rapaz! Vicente, você estragou uma perdigueira das melhores. Como Fedra, não tem outra. Ouviu?"

Balbino me falava aquilo talvez por sua admiração a meu pai, um homem que, ele sempre dizia, foi reto. E mais, também por querer o bem da filha de seu amigo, o pai de Corama, aquele grande industrial. Era Dahirou. E de Ana, o pintor me disse, "Você cerca essa moça, e isso faz mal. Vá a um doutor, rapaz. E rápido. Inventar a vida dum irmão não salva você de incomodar ninguém. Dessa vez, não... E, principalmente, aqui, não!"

Afinal, quem caçou quem? Fui idêntico a mim mesmo? Agora, eu sem paz, e ninguém faz figa por um medo que é só meu. Balbino disse que eu estava louco por não saber o que queria. O que inventei, o que vivi. Mas eu sabia, era Ana Corama. Voltar a revê-la, isso sim. Caçá-la da maranha que será o gosto de meu tio, irmão mais moço da minha mãe. Gaetano, o grande boçal.

Se quisesse, ainda era tempo de dizer que seus olhos, Ana, fundo de âmbar quase negro, cinza e redondos, fechados, são ovais. Parteiros dum tempo nodoso, difícil, inútil. Quem é você, mulher? Preciso fingir que também você não existe, Ana, e inventar essa mágoa que me causa a sua falta. Um *Zelino* para desperdiçar sua atenção nele. Outro *Zelino* para fingir que somos contrários; eu e ele. Penso na impostura contra mim, nele, em meu irmão. Pratico por esse voto a sensação perdida da beleza, a desfaçatez do enlevo solitário e por fora triste. Inventei Zelino. É simples. Soube depois. Assim alcançava o estado de conversar em silêncio sem incomodar deus nenhum.

Vem da mulher ou do homem essa capacidade da fraude sem pistas? O gordo Garau e sua forma brusca de tentar me salvar; dava-se este direito por se achar criativo e maldito. E me via como uma experiência em novas tintas. Punha sua razão no respeito que tinha pelos meus pais. Mas Zelino, que me aparecia e desaparecia, ali concordava. Garau mentia muito. Dizia que nos amava, e mentiu. Quem não inventa seus pares, como eu a meu irmão? Ele próprio deformava as histórias que viveu, quem viveu, quando e como etc. Criava também, eu lhe disse, seus irmãos de tela e tinta. Tudo pintado em cores falsas. Dizendo-lhe isto, fiquei emotivo. O pintor me viu molhado e de pé. Apontou atrás de mim uma cadeira onde me sentasse, mas não descansei. Ele sabia o que lhe diria com força, se pudesse continuar dizendo, e amoleceu. Seu modo de moderar foi me prometer outro cão e um quadro. Falava e adotou um tom mais sereno. Disse que me desenharia, se eu quisesse. Aquele *Homem das mãos azuis*.

É curioso que, enquanto recordo essas sensações, minha voz se distende. Minhas mãos, hoje alvas e mais magras, agora estão novamente azuladas pela tinta da caneta, como se afundasse os dedos naquela terra coberta de azeitonas-roxas. Sinto como se fosse o próprio dia. E hoje, distante já quase quarenta anos daquela manhã em que enfrentei o genial Balbino doido, o gordo Garau, e também ontem mesmo, quando saltei do carro chegando de volta à usina para o desmantelo do tanque de decantação que montei em 1933, ou seja, ontem, depois que meu carro me livrou da morte na pista, desgovernado que ia pela crosta de carvão em cima da banqueta renovada, enfim, lembro que, quando desci do automóvel, fui tomado por uma vaga sensação de embriaguez e vitória. Caminhava em volta da casa de fazenda do pintor morto, chamada Belavista, e vi sua fachada hoje rota e carcomida da cumeeira até a cimalha, sem mais os janelões de peitoril baixo com parapeito sacado, e deles agora se vêem apenas as vergas de arco abatido. Notei a tesoura de telhado emborcada no chão, apodrecendo no meio da sala de estar, como o esqueleto gigante de seu cavalete maior, o cavalete em que naquela outra manhã me pintou de azul Balbino Garau, o dito doido.

Eu próprio, que matei Fedra, hoje sei o que houve. Foi um acidente. E Zelino, aquele que não sei se sou eu, quem é ele? Confesso, se tudo foi invenção minha ou de mais alguém, isso também não se sabe onde começou. O certo era que eu, com Zelino, não estava só. Faz tempo, e ainda me dói pensar na caçada em que perdi a perdigueira e um irmão amado e odiado por força da solidão. Quanto ao que o pintor me disse naquele dia, o principal, que eu cercava a filha dos Corama, isso não era verdade. Ela, sim, se rodeou de mim porque quis.

Amei muito essa moça, eu mesmo lhe dei a entender. Mas também impedi, impedimos todos, a fala de Ana. Por ela, aprendi do ermo. Duma cepa de gente doce, fiquei o só aziago, amante da companhia de poucos. E mesmo estes raros às vezes me enchem de tédio e dó. Gozei seu torpor quando Ana, ela própria, ia se entregar ao viés da noite em que estivemos a sós, e seus olhos me curtiam como eu a mim mesmo naquela lenta queima de se ver na iminência dum momento só nosso. Nós dois falando, falando, falando e a madrugada aluindo sua noite de abóbada pontilhada. Depois disso, fui quem? Hoje estou sozinho, sei. Zelino pode ser que não tenha existido da maneira que falo dele, mas tudo que volta pela comoção, retorna com a força dum segredo turbado... E se eu nunca pude dar dele uma impressão exata, é porque ele mesmo, eu e ele, nunca fomos exatamente uma coisa só. Quis voltar a Santo Antão, pois voltei. Cheguei há pouco. Então quem é fraco, ou sonso?

Agora que entro novamente no escritório da destilação, onde trabalhei por mais de trinta anos, vejo pelo basculante o chalé grande onde Ana se acomodou ao meu jovem tio, um tio da nossa idade, Gaetano Dueire. E dentro do chalé, a longa noite em que estivemos a sós, eu e ela, a conversa em que lhe contei da morte de seu pai, este sim, o grande industrial. E Ana me pediu a vez de falar, perguntando sempre. Concordei e lhe disse o que houve. Daqui ainda revejo de soslaio, nos seus flancos, em Ana Corama, pela minha memória dela, um mapa traçando o caminho que ventos e estrelas desenham como estampas na pele dum pano pisoado. O corpo de Ana, ela nua, era simplesmente tudo ao alcance das mãos. Acaricio-a como se consolasse a perdigueira Fedra. Meu rosto imberbe; a paina dos seus bandós em torçal de fibra corredia; a cicatriz do movimento, que é seu odor coado por mechas de cabelos negros e luzentes; meus olhos ventosos de chocar as pálpebras com suas mãos passantes por aqui e por ali, diante do meu rosto, distantes desses lábios somente poucos centímetros, enfim, esbraseado e casto foi o primeiro beijo que impedimos, resistindo um ao outro em tempo de concessão e luta. Lá fora havia uma guerra mundial.

"Não acredito em guerra mundial, meu bem... Amor não é guerra", Ana disse.

"Muito antes de nós dois, eu e Zelino brincávamos de inventar você, Ana."

"Mas também não acredito em Zelino", ela disse, como Balbino no dia da caçada.

Foi o que se passou há quarenta anos entre Chã Grande e a usina, aonde agora volto para desmontar o que pus de pé com a minúcia duma química antes tão avançada. Hoje a purgação centrífuga, com agentes de catalisação, me ultrapassou e fez do meu decantador um tanque obsoleto, revestido com ripas de madeira, barril agigantado e torpe, muito embora antes maioral.

E agora de partida, já dentro do carro, vem e se debruça na minha janela um homem de bigode negro e capacete creme estampado com as iniciais da nova empresa. É o gerente Américo Linhares, filho do velho turbineiro Fersoza, que diz que não tinha me reconhecido logo, mas agora sim.

"O senhor é o neto do doutor José Wellington Dueire, não é?", então lhe faço um aceno qualquer. Mas ele, parecendo sentir aquela emoção que é quase sempre a exigência de toda e qualquer memória do bem, me alcança o ombro esquerdo e continua, "Pois volte quando quiser, que tudo aqui ainda é como se fosse de vocês".

Aperto-lhe a mão com uma força estranha. Assim Américo se lembrará, e com isso me desculpo dele e dos outros que não cumprimentei, porque hoje sei que jamais voltarei ao engenho d'água, de boi, bangüê de cavalo, engenho a vapor e agora usina remota, pobre, que há muito meu avô tomou dos Corama e perdeu. O lugar de todos esses tempos e, ainda ali, os campos e as extraordinárias máquinas da velha Santo Antão.

Agora que desperdicei o sono, observo Vicente Campelo estancar os olhos diante dos meus. Meu amigo me vê sem se deter na fuga de meu rosto. Sua atenção se esgueira ao redor, contida, rápida, por toda a oscilação desse foco, sei, é sua maneira de me esmiuçar sem roer o espaço severo que é a direção entre nós dois. Tento mudar de assunto. Convoco Zelino, o cortês. "Você, vocês, hein! O que é que já sabem de aves migratórias?" Vicente se volta para mim espantado. É verdade que me repito. Dou-lhe corda. Rimos.

> Entrego-me à minha puta mais sofisticada. Sacudo os braços querendo dizer-lhe que nada disso importa mais.

Vicente me responde e se cala. Admira-se ao me ouvir invocando seu duplo, esse feto companheiro e imaterial. Puxo por ele e entramos numa arena perigosa. Quem é quem?

> Vejo minha amiga deitada por cima dos almofadões, apoiada no encosto do sofá verde com sua face obscena e triste. Encena seu modo imóvel e simples. Os olhos, amarelados pela janela cada vez mais intensa, pelos fachos do vitral mostarda no piso ocre de lajota xadrez, esses olhos fecham dentro de sua cava funda. Ela me provoca e abate. Quero beijá-la nas pálpebras, nos cílios, sentir aquela penugem retroceder de susto, piscando, fechando-se e abrindo-se apequenada e trêmula.

"Vicente, querido...", e sacudi a cabeça, fazendo que não. "Você está bem? Continua bem?"

"Como assim, Ana?" Seus cabelos desatados formam pequenas covas ao redor do pescoço. O ar dali é viciado.

Meu amigo me conta do mar visto de cima dum balão, o mar imóvel como um lençol de cetim enrugado pelo peso de dois corpos. Um ao lado do outro, se remexem sem nunca se tocar. Sei que fala de mim, tenta adivinhar a rotina da minha cama. Rebaixa Gaetano, meu marido, seu próprio tio, imitando um gesto dele, exagera-o e me lembra a morte de meu pai. Vicente, agitado e triste, mistura meus homens.

"Dahirou Corama, um tipo enérgico, mas aqui eternamente um estrangeiro..." Ana me ouve, foi sempre muitas mulheres. Olha de lado e afinal evita o confronto. Então me aproximo.

"Para que isso, Vicente? Pare, ouviu?", e ele então se levanta. Faz a pose do grande quadro de Balbino Garau, o *Homem das mãos azuis*. Reconheço o pesar dessa figura. Calado, ele faz seu modo de antes, com os olhos miúdos, o queixo elevado. Fala mais baixo algo que a princípio não entendo.

Vejo-a ainda agora, no sofá, em sua fase de criatura surda. Ana me sorri com seu ar de ressalva e convite, me agradece, então a persigo. Também sorrio de quem ela encoraja e abate. Digo, "Eu...", ela me imita a voz e fala, "Vocês". Novamente rimos. Vem da manhã ou exala das bocas abertas para a noite essa cor azulada que banha as horas da madrugada? Ana Corama me olha com sua visão agravada por olheiras lilases. Seu cabelo espaventoso recusa a trégua. Diante dela sou eu quem se emaranha pelos sortilégios que armam à sua volta uma impressão de densa maciez. A imagem de seu rosto no janelão da sala, escaldada pela luz azul da madrugada, cava-lhe poros mais largos, planta acima e abaixo das suas pálpebras bolsões. Seus ombros caem, minha cerviz se enverga. Arqueio as costas, tento me recompor. Ana fecha os olhos e a planta dos meus pés recusa o chão. Sofro com a vontade de lhe alterar o rumo, as feições, a rigidez do riso, quando enfim ela baixa a fronte e deixa pender fios ainda presos por um pente de tartaruga. "Você podia...", e ao me ouvir ela se espanta, porque lhe peço, "Desate os cabelos, por favor".

Pela boca saiu o que antes lhe travava a voz. Tanto tempo, Vicente. Farei ou não o que me pede? Essa imagem já não é mais seu único motor. Lento, melindroso, movendo-se como se ao redor um tempo privado lhe polvilhasse a figura rija, segue Vicente. Ouço-o. Vem em minha direção e me aperta a mão, ou antes, apenas resvala minha palma com dois dedos e o polegar. Seu contato com o mundo é por vapores e, no entanto, trata-se dum homem, você, Vicente, a quem a brandura não lhe amarfanha o que, creio, seja um olhar direto, mesmo em face da ruína dos Tribot Campelo. De pé, diante de mim, ele depõe no chão as peças de roupa que pouco a pouco tira do corpo. Desato-o. Ele me desata. Repete o que me vê fazer. Copiamos sem pressa os movimentos um do outro. Nossas mãos fazem seu balé e riscam no ar canais dum perfume novo. Quase nenhuma luz vara as cortinas que cobrem a porta de vidro corrediça. Eu não o vejo. Você, Vicente, não me vê, fecha os olhos enquanto me fixo em seu rosto que lentamente anuncia a surpresa das nossas alvas gradações.

E a terracota, carne que ensopa a boca de Ana Corama e tinge seus lábios de feltro cor de fumo, palha madura e dobrada em pequenas línguas acesas, a terracota que soprei ardeu. Ouvi o silvo perfumado que vem da sua pele e se amplia em poros para deixar vazar por eles a queixa represada. Ela me olha com dois olhos à meia pálpebra, sua visão é ainda mais rasa que antes, que ontem, me vê hoje e não cuida de vendar os olhos. Digo-lhe que sim, anuindo com a cabeça enovelada pela embriaguez. Rumino o ar de velhas chuvas. Alcanço-lhe os pés de leve, pressiono suas plantas, deixo que minha mão aparte seus cinco dedos curtos com unhas pequenas e rosadas. Apanho o tornozelo direito dessa mulher como se me atasse a uma corda estirada pelo meu próprio peso. E logo me vem a mão de Ana Corama, a outra, mais cálida e sem anéis, aberta para mim. Os dedos de Ana estancam meu fôlego. Cerro os olhos como se caísse, me ergo imóvel. Aponto o queixo para o alto e aperto as mãos. Sua língua é hoje lã úmida de fervura e velhas mantas. Um a um os dedos se fecham em sua mão, boca escusa. Inflamado, sou eu quem suspira e sente o embaraço da vez. Ana se move agora afeiçoada à umidade, assim começa o fim da nossa tardança. Já insiste o sol, e ela, dama de quantas noites, na palma contém o ritmo de imagens que urdi há tempos. Vejo agora o que tenta fazer, tira de mim a tinta com que tateia os seios, prova-a na língua, fecha os olhos enquanto me esgarça a pele e chega ao meu rigor por ela. Ao redor, as roupas esfriam, exalam o odor suave que sua intenção era conter pela costura justa. Vejo suas sandálias de couro e cetim emborcadas sob a mesa de centro e, no tampo de cobre, a pulseira com gomos de plástico azul. No chão, um tapete estampado apara o sutiã negro de pequenas conchas, alças finas e garras desatadas, como um bicho marinho morto na praia. Nos seus olhos há o doce torpor da execução de um ser esguio e anelado. Ana traz na cava funda sob as pálpebras o azul-cinza da extinção do dia, do mar turbado por algas de coloração pastel e confusa. Por um instante me esqueço que também ela me vê despido pela primeira vez. Mudo a voz e guio-lhe a volta que dá em torno ao centro; apanho entre as mãos seus quadris ainda marcados pela pressão cintada de panos e ligas maleáveis. Vendo-a por trás, busco suas cores entre o rosa, a seiva e o castanho. Seus joelhos pressionam o couro verde do sofá, deixam mossas nas almofadas amarelas, esticam a pele da mobília seca e aliada. As mãos de Ana, apoiadas sobre o dorso do espaldar, espalmadas na parede branca entre dois quadros com cenas marinhas, essas mãos miram passagens para um jardim de que nos aproximamos de costas. Desbaratada pela escavação dos meus dedos, ela olha para o teto e vê o chão, sua visão deve ser a minha, vemos o que vemos. Ana, ela, essa mulher que se apóia em joelhos dobrados e mãos crispadas, traz nas espáduas constelações, vê minha sombra contra a parede, me ouve dizer seu nome por uma língua de tons abertos. Siderado, repito aquela fala aérea, deixo que o hálito me abandone com lentidão, passe por entre os meus dentes, circule ao redor da boca e rodeie minha língua para formar seu nome à nossa volta. Cada letra, como uma gota, se adere à sua fronte suada, às axilas, ao seu par de ancas nuas e à ilharga sinuosa, e molha o tapete ou, antes dele, traça uma cicatriz reluzente na tez escura do sofá. Ana vê que nos dilui um tempo mais ágil, volta a cabeça e me olha de esguelha. Alcanço seus cabelos, puxo uma mão cheia de suas madeixas em direção à minha virilha, ela ergue o queixo e diz seu som em lenta e vigorosa sufocação. Ouço-a murmurar ruim entre dentes cerrados.

"A língua que você fala, Vicente, tão inimiga, quando sai da sua boca em coro, polida pelo timbre rouco da sua pressa, multiplicada pelo..."

"Ar", e penetro-a em silêncio, ela sabe. Por mim se fere e sara. Penetro-a para ouvir-lhe o rumor refreado que me dará como prêmio. Meu queixo arranha suas costas. Ana se dobra e a pele que lhe recobre os braços, os flancos, e se liga na desenvoltura das coxas, nas folhas marrons e arroxeadas enrugando-lhe o sexo, essa pele risca no ar, pela rotação dos seus sinais, novas matrizes, mapas para a própria abóbada celeste. Penetro-a, mas não sei se estou dentro dela. Eu e ele. Ana, Vicente e Zelino.

Vocês, que me rogam pragas por uma língua dobrada e que não entendo, sei mas não entendo, me olham de modo esquisito, Vicente e Zelino, me querem nua, me quiseram por adivinhar estes pêlos e, sim, desato o coque. Chamo-os mais perto e sorvo sua curiosidade fixa em meu sexo. Meu amigo adivinha as sombras que me cobriram muito antes de hoje. Deixo que suas íris de musgo me retenham, enquanto ele aspira o olor de pernas juntas que se apartam e prende entre os lábios meus pêlos irisados pelo seu hálito. Nossas bocas se entreabrem e eu, mais que nunca amada de três, cerro os olhos, vejo-o apertar os dentes e as mãos. Vicente se alastra para uma noite que desce com a gravidade do meu corpo sobre o seu. E o seu é... sua pele áspera e cabelos castanhos no momento mesmo em que me adentra é... ele em mim escandindo boca, olhos, nariz. Inspira a imagem enfurecida deslizando por sobre o meu rio, de onde brota a agitação que me enruga os seios quando, afinal, ele vem, e eu, entre os dois, sou tomada pelo abraço que se abre como uma boca de terracota enquanto Vicente e seu irmão me olham por esta raja, formando um raro painel, os três, neste mar de chão e, agora sim, nosso primeiro abraço é júbilo impuro e agrura de um só. Somos, ali e aqui, hoje e ontem, o lento regresso da espécie, rio terroso, aquele doce e antigo e majestoso cárcere de ar e carnes.

O avião faz um passeio, volta. Revoa. Inclinamos as cabeças, as bagagens deslizam acima das poltronas. Mais de um passageiro põe a mão na testa e se contém pelos ouvidos vedados de ar. Abrem as bocas. No estômago, o caldo que resfria é puro terror acusando a gravidade agora mais leve. Não vamos virar, sei, sabemos todos. E se uma aeronave como esta, aferrada ao plano do vôo pela seda do aço com largo relevo bordado a parafusos de cabeça chata, se ela, digo, volteasse de barriga para o céu, na liberdade da queda livre, nossas chances seriam as mesmas que sorver arsênico em vez de açúcar, uma mão cheia de pó. Ambos alvos, muito embora só um traga o fado da morte veloz. Mas entre nós há sempre quem insista em pensar na cisão, na ruptura dos fios que ligam o véu ao barro, e essas mesmas pessoas, homens e mulheres, se regalam na imaginação dum corpo que afinal se desfará em elementos como os de membros, órgãos, tecido, molécula e átomo.

Deixo quem me rodeia flanando estático na paz da sorte predita, no temor de suas próprias imaginações. Somos sempre os mesmos, voando ou não. Agora miro a mim. Sei que não estou só e ao mesmo tempo viajo de lá para cá praticamente só. Gaetano, ao meu lado, cochila e acorda. Variando sua atenção, me olha e ressona. Volta a dormitar. Sonha com quem? Durma, meu tio. Quero um tempinho para mim, sem a vigilância do relatório que sua companhia fará quando esta máquina resfolegar na pista. Antes do pouso, preciso concatenar meu velho brocado de papel e grafite em busca do que vai abaixo. No real. Está ali nossa própria superfície de mata e rios.

Toda minúcia que pode transparecer da ponta dum lápis educado pelo alvo da precisão, pelo traço de quilate rigoroso e fino, está bem aqui, diante de mim, nos meus cadernos de desenho topográfico, em páginas de azul-celeste quadriculadas por uma malha exata de fiozinhos verdes. Cada volta impressa pela minha tinta é um nível de altura em perfeita seqüência, por exemplo, escarpando o cimo dum morro, a simples sublevação do monturo de rochas, que por um feixe de linhas sinuosas decoram no papel a monotonia das nossas regiões varzinas e praianas.

Sentado nesta poltrona de avião, folheando as páginas do caderno, me admirei de ter transformado naquele tempo os debuxos de meu pai, o bom Anquises Campelo, sua caderneta com as medições dos rios Beberibe e Capibaribe, num mapa verdadeiramente cabal, talvez nosso primeiro guia de terras embebidas por uma dupla vazão. Passo as folhas com vagar, aplaino sobre as pernas as pranchas encartadas em papel sanfonado. Pelo exame de setas e pontilhados que demarcam o espaço humano, propriamente vivido, revejo os dias que passei em Goiana, o apito da velha 21 cortando a superfície que eu mesmo, anos atrás, mapeei antes de me atirar ao estudo da química.

Lá embaixo, rente ao solo, o verdadeiro traço da linha de ferro está encoberto pelo capim, pela brenha do carrapicho temporão. Não vejo mais, nem aqui nem ali, o caminho que fazia a maquineta de maria-fumaça puxando populações inteiras entre a Mata Sul e a capital. Em 1915, com a morte do arcebispo dom Lino Tribot, tio materno e padrinho de meu pai, eu, menino de dez anos, acompanhei homens de longa jornada e pasmos pelo desplante daquele óbito levado em carro de linha a céu aberto. Aos poucos alcançávamos o engenho Tombador, primeira paróquia do padre Lino, ele então a caminho de ser o futuro arcebispo, nosso primeiro dom total. Naquela volta com o corpo de dom Lino Tribot, passávamos por pequenas multidões de homens e mulheres que descobriam as cabeças, acenando de longe com sombrinhas, cajados, enxadas.

Agora, sentado em minha poltrona com o cinto afivelado, desviando a atenção do rumor surdo com que quatro turboélices percutem o ar e varam com seu ruído uma longa cabine de alumínio propelida a voar pelo empuxo do combustível, tenho novamente diante dos olhos a fachada imaculada da velha casa onde vivi, o chalé grande de Santo Antão. Revejo seu primeiro andar de assoalho caveirado e alpendre de piso com mosaico de rosetas regulares, atadas por fitas mostarda e flores formadas por pequenos losangos verde-escuros. Dali via o bueiro de secção quadrangulada e, ao seu pé, uma trilha de vagões encadeados pela carga de caiana esfalfada a lâminas de foice, lagarteando a caminho da pesagem na balança Hermann, de capacidade para 120 toneladas. Na capela próxima à balança sepultamos dom Lino Tribot.

Aqui, em pleno vôo, fecho meus cadernos enquanto noto ao meu redor cabeças virando-se nos assentos para buscar vistas melhores, gozando os giros que fazemos no ar. A bordo, o verde que vejo entra pela janela à direita. Através dela me atiro a uma paisagem há muito copiada nas pranchas em meu colo, e, comparando ambas, o alvo e meu traço, confirmo as evoluções daquelas valas serpentis, águas escuras deslizando como se a vazão de longe estacionasse seu passo. Lá embaixo competem dois rios, mas a cada círculo do aeroplano apenas se vê um único caudal vazando de cada vez. São dois leitos que desembocam no oceano à frente e vão, afinal, adoçar o marulho de azul e branco daquele imenso mar atlântico.

Há pouco, quando saltamos do carro que nos apanhou no aeroporto, Gaetano me olhou com seu olhar de homem morto e injustiçado. Logo irei revê-lo em casa, no jantar de domingo. Na despedida, chamo-o de *tio*, pondo força nesta sílaba como se disparasse um cartucho de carga há muito represada. Agora, sozinho, vejo o sol que vem de cima para manchar uma sombra pequena sob meus pés. Sinto o velho odor enjoado de mangas e oitis que se espalham após a queda. Caminho para descansar da viagem. Volto ao parque. Diante de mim pousa um pássaro que, sei, não é, mas parece um pintassilgo. Ensaia seu trilado. Revoa de galho em galho. Penso que vai descer, mas sobe. Parte e novamente estou só.

Acabo de ler a última carta que me mandou Ana Corama, carta que me esperava em casa. O que seremos eu e ela após esses anos sem nosso levante cuidadoso, sem aquela lenta sufocação? A curiosidade magoa crianças e gatos, por isso largam sua latomia furiosa. Somos, sim, felinos infantis. Descobrimos juntos que a injúria também acalenta e consome a porção insana que há nos dois. Quando paro para pensar, não sei se vale a pena responder à minha amiga. Ela tenta nos salvar de quê? Por maior que seja seu interesse no fenômeno que dizem sermos eu e o meu próprio Zelino, essa mulher tem pouca idéia do que é o vôo espetacular duma criatura que, tendo abandonado a sua espécie, cuida de caçar os seus iguais. Alguém capaz de vôos mais altos, este foi Zelino. Por isso ainda quero e sou o mesmo que ele.

"Zelino!", grito. Faço que grito.

Quero gritar, enquanto sorrio caminhando pelo bairro.

Vou pela velha avenida Dantas Barreto, eu, o mesmo ainda propenso à amizade cheia de reservas. Ao meu redor as folhas das árvores caem dos galhos puxadas pela brisa morna que colore a pele da estação. Piso-as como se pisasse em copos de plástico e escuto de volta, numa voz farfalhada, as passadas dos meus inimigos, o abraço suspirado da traição sempre postergada. Olho para trás, por sobre o ombro direito, mas ninguém me segue. Diminuo o passo, salto uma poça, cruzo o adro da igreja de São Pedro. Sua torre manchada pela pátina de café dos torradores aponta em quatro direções. Mantenho essa imagem em mente, como um talismã, enquanto assisto à lenta queda do dia.

Aguardo Ana para um café na confeitaria do Pátio. Ela me atende e vem. Seus olhos agora bruxuleiam. Diz que está muito gripada e, com isso, evita que nos beijemos.

Mais que nunca, hoje essa mulher pisa em algodoais maduros. Não só por dentro, mas em volta e também acima dos olhos, as cores de escarpas de barro cozido abafam sua visão, comprimem suas pálpebras, lhe alargam as pupilas até suprimir qualquer claridade. Ana consome a paisagem com lenta indiferença. Vê e nos enegrece. Agora larga na mesa um pequeno molho de chaves. Lentamente tira seu fichu mostarda com flores salmão, sua defesa contra a aragem fresca soprando do rio. No meu bolso, ela ainda não sabe, trouxe para lhe devolver os óculos que pertenceram a seu pai, os óculos do balão. Ana se senta e me olha. Ri sem humor. Pede licença, novamente se levanta e deixa a mesa. No tempo em que a espero, sinto o cheiro de café, leite morno e aguardente. À minha volta a língua popular canta uma ladainha que agora me soa extravagante. E lá vem Ana afinal revigorada pelo momento sozinha.

Convenço minha amiga a sair dali. Caminhamos em silêncio por entre ruas estreitas e aos poucos o vento depõe suas lufadas, nos deixa avançar. Chegamos quase no escuro ao hall do hotel Continental, sua fachada larga e verde fazendo frente ao rio e, do outro lado, o prédio cego do paço da Alfândega.

Na cadeira, mais firme, penso no véu que hoje me alongou o dia ressumbrado e se esbranquiçou à minha frente. Enquanto andava, embrenhei-me numa nuvem para a qual contribuí com meu alento de homem só. Ana não percebe, mas sei que me olha e estuda meu modo de guiar nosso reencontro. Hoje, como ontem, envolve a minha cara o vapor do rio e a fumaça do cigarro, que a cada dia mina a extensão dos meus passos. Chegamos quase no escuro, no ar denso e enleante que vara as pontes e vem do mar, trazendo uma maresia lentamente adocicada pela evaporação dos rios. Essa bafagem nos cobre com um lençol garrido e impossível. Olho pela janela do hotel a cidade que arrefece mais outro dia luminoso. Pousam nos meus óculos gotas que ampliam em pequenos discos a pouca luz da lâmpada elétrica, formando manchas ovais nas lentes armadas em plástico negro. Limpo os óculos enquanto Ana, em silêncio, olha a mobília de verniz rubro e espelhante. Somos isso mesmo.

Aos poucos, meus olhos se acostumam à luz pálida do quarto. Percebo que Ana veste, por baixo da saia pregueada, uma longa meia de seda que lhe recobre quase o corpo inteiro. Encostada na cadeira, Corama ensaia o gesto de São Jerônimo, me tira um espinho da pata. Aponta o dedo e me diz não. Essa é nossa segunda paródia da nudez. Ana Corama se senta na cama como sentaria uma prostituta, as pernas abertas. Ao fundo, o tapete e o papel de parede denunciam florações de mau gosto, lembram o passado faustuoso do hotel. No hall de entrada um leão com duas rosas na linda bocarra de bronze ruge batendo as asas. Tudo, em matéria de aves, é delicado. Até os apitos, que na caçada imitam as cantorias, precisam ser acionados com a leveza duma alma emplumada. Agora Ana me vê; eu a ouço. O que quer de mim, Corama? A sombra do seu sutiã escuro, por baixo da blusa de popelina bege, exibe um mapa que ao mesmo tempo me chama e me dispensa. Sobre os ombros novamente repousa esse fichu que apara seus cabelos, as três pontas do pano já soltas. Ana me conta que visitou sozinha a cidade da nossa infância. Lembra que quando o trem mergulhou no túnel da serra, a janela ao lado, sem mais a luz do dia, lhe fez a surpresa dum espelho. Corama deu consigo mesma, cara a cara, como se viajassem juntas as duas mulheres, a que foi e a que voltava. Ao chegar a Santo Antão, seu espanto foi ver pelo basculante do vagão bandos de crianças correrem para as ruas liberadas pelo bramido do trem, que lhes dizia que já era hora de largar. Assistindo a isso, um velho passeava com uma pomba atada ao pescoço por uma guita de felpa áspera. Minha amiga precisa acreditar que na cidadezinha de onde viemos havia sempre doçura no ar. Tira dali o gosto e as cores para seu próximo livrinho infantil, ela me disse, *Aviário oeste*.

Mas o verde que agora revejo, ouvindo o que Corama me conta, não é mais possível de ser visto. Esse verde que vejo como uma mancha. De uns anos para cá brotaram por todo meu corpo as marcas, caroços e lias do corpo anafado de meu pai, seus dedos finíssimos e os meus amarelados pelo fumo e pelos compostos de álcool e retinol, pálidos de metila. Mas se fecho os olhos, sempre me vem o azul. Minha pele se ossifica. Há pouco perguntei a Corama se vingaremos na amizade à distância, indiferentes ao desejo de antes.

"Minha amiga, você costumava dizer que seu nome também era outro."

"Você me chamava de Afamaria, Aramaria... Qualquer coisa."

"Eu chamava, e você parecia gostar."

"Gostava do que você queria, meu bem. Às vezes você é tão estúpido."

Corama e sua pele imaquiável. Essa mulher é maior que a derrota imposta por nós todos ao seu próprio pai. Difícil é ela amar e fazer amor despegada do alarde que seria nos ouvidos de tio Gaetano a pronúncia dum nome masculino e mais jovem; o outro dela. Naquele tempo, em Santo Antão, para além do roseiral que margeava a mureta do chalé, eu via os dois bueiros competindo entre si na altura das suas baforadas de fumo branco, fumo que me trazia a impressão de ser doce o ar que respirávamos com tanto enfado. Que grande mentira! Às vezes ainda sinto o amargo daquele odor que me lembra Elena e vovó Otina, Magda Pola e meu velho avô Wellington, meus amigos Demétrio, o engolidor de pitombas, e Jôjo, o bobão que criava um coelho manso, mas salivava imaginando comê-lo num espeto, o próprio amiguinho... Hoje esse cheiro me lembra quem agora está aqui. Corama percebe minha vagueza, tira da bolsa uma escova e ameaça passá-la nos cabelos. Será que ela também lambe o espelho consigo dentro, quando se vê? E na lâmpada fria, que é sua própria imagem, sente o que sinto, o contato daquela água parada, vítrea, o reflexo dum dia sem igual, a mesma agonia de sempre, nós dois separados por laços estreitos demais? Será que Ana também se regala com o cheiro de açúcar que lhe exala dos cabelos, buscando nas cerdas da escova o odor sacarino do polimento das mechas, esse lustro de idéias que cultivamos um sobre o outro?

Então ela me olha, tira da bolsa uma tesoura e a depõe sobre a penteadeira do quarto.

Examino o instrumento enquanto ela me aguarda. Diz que o livrinho que quer inventar, *Aviário oeste*, será também minha própria história. Se eu a lerei? Claro que sim. Quero abraçá-la. Entendi seu modo de nos pôr em ordem.

"Você está bem, Vicente. Continua bem?"

Agradeço-lhe de novo o interesse. Ana Corama diz que quer repetir nossa saudação, porque em público foi desajeitada e triste, então me abraça. Trocamos um beijo em cada face, mas me surpreende que Ana me afague o braço com tanta firmeza, como faria uma avó ou uma enfermeira. Somos os mesmos ou não? Convinha que eu lhe dissesse, ali, que subestimamos o dó que sentimos um do outro. Não contávamos com essa nostalgia covarde. Nossos corpos confessam a memória de já terem estado, um diante do outro, doloridos e nus, então volto-me para Ana Corama, minha velha amiga. Vejo que ela nos admira juntos, um sobre o outro, no reflexo da penteadeira.

Beijo a curva de seu nariz. Cílios curtos e de feixe muito intenso escondem os seus olhos dos meus. Ela se deita e molha na boca os dois dedos com que depõe, fundo entre as pernas, barreiras atiçadas por uma penugem áspera e revoltosa. Força-se para mim. Com a própria mão escava seu corpo, e nela, dentro dela, dentro de você, Ana, avança um rio de caudal marrom e pouco meigo. Braços redondos revestidos de pele irisada pelo meu toque formam nossos caminhos para o centro duma ilha de duas vegetações. Esses tufos são seus cabelos grossos numa cabeça impudente e aflita. Olho Ana; ela me vê. No travesseiro, suas melenas desgarradas fazem as voltas duma Medusa de paixão sopitada e fervente. Ana segue ainda hoje, em nosso reencontro, a velha teima de Maria Madalena, mulher chorosa e agarrada a seus panos de secar sangue de imolação. Desfilam diante de mim aquelas feições marciais. Competem na sua face as carnações de dois continentes apartados por séculos de combate. Corama, deitada e nua, espalha-se como um palco empoado e mudo. Sei que encenamos uma queda, mas qual?

Então ela sussurra, "Meu Deus!" Como se destacasse o alvo da própria voz, aperta os olhos apequenados pelo nosso abraço. Um diante do outro, me concentro nesse rosto anguloso, nos traços da sua severidade. Os braços de Ana apontariam para a altura logo acima das nossas cabeças, se ela simplesmente se pusesse de pé, mas como estão, eretos na cama, guiam minha visão para a janela. Adiante há o horizonte barrado pelas cortinas do quarto, essas cortinas agora só um pouco entreabertas. Suas mãos retorcidas pelo meu avance, que cava por ambos, por nós dois, nossas mãos, recebem da pressão das unhas novas linhas que a vida traça para uma próxima leitura de palmas. Logo me enfado com a celebração dessas extremidades. Cerimonioso, beijo-lhe em meu caminho avante a sua primeira cicatriz, aquela que a mantinha conforme a seiva da sua mãe ignorada, cicatriz do canal por onde saciou a primeira fome apegada ao fôlego do simples cordão torcido e vigoroso. Minha língua circula e adentra esse pequeno poço umbilical entre montes de folhagem basta. Aspiro ervas. Teias delgadas e aliciantes exalam dessa mescla, me fazem baixar a cabeça e soltar um suspiro langoroso. Renovo meus pulmões em mais um ai. Eu ante Corama, penso, como flor, como em você, de mim brotam espinhos que ferem, mas meu sangue não tem a cor que preenche o vão das suas saias e esse lado escuro das ancas formando uma letra ortogonal, aquele mero *V* de mulher, traço que faz a ligadura castanha entre as suas pernas alvas. E como se me respondesse, Corama diz que ainda me quer, a mim e ao meu amigo-irmão, a quem chamávamos de Zelino... Não a ouço, pergunto-lhe apenas, "Quem?". Afasto as mãos apartando suas pernas como se fossem asas franqueadas ao sopro, pernas que quando acionadas removem Corama como uma maré de vinho em taça de pé alto, e eis tão contíguo o nosso último intuito. É ali, é aqui, que uma última vez vôo e beijo minha amiga em sua fenda de lentos ramos espirais.

Aqui ao meu lado ressona, e por isso novamente estou só, Gaetano Dueire, o homem que um dia mentiu quando me disse, "Ana, mês que vem seremos marido e mulher no papel". Enquanto dorme, lembro das várias camas em que pousei. Confirmo seu metro antigo. Esta é certamente a mais larga de todas. Sei que meu perfume de rio penetra seus pulmões e é expelido pelo ruído que o aferra a um sono de marido tranqüilo. De manhã, ele me disse, "Sonhei com você", porém não me revela como. Também não me importa saber se Gaetano sabe ou não com quem sonho, se escuta meu balbucio entre dentes cerrados de gostar do que vejo por trás das pálpebras. Antes de dormir, cobriu de sêmen meu seio esquerdo. Vejo meu peito contraído e reluzente pelo limo que é esse leite reverso. No momento mesmo de se lançar, meu marido disse, por trás de duas fileiras de dentes trincados, um ruão em tom abafado, frouxo. Este mesmo seio que há tempo suplantou o divórcio da sua vontade de estar no vão das minhas pernas, esta mamadura sem filhos, ele vai agarrar no momento da sua última expressão, seu rosto engelhado diante da sorte de morrer. Preso a mim, Gaetano reclamará ainda ali sua vontade de ter uma criança Dueire, a que nunca lhe darei. Então ele retém, vai reter, meu colo coberto pelo vestido de organdi verde-musgo, e crispará entre as unhas minha pele, e a ela me imporá a derradeira dor. Assim vai morrer Gaetano Dueire, criatura de um só achaque, o não ter filhos, mesmo uma criança gerada em mim pelo suor de outro homem, fosse inclusive do desvario de Vicente Campelo, criador de seu próprio cata-pássaros, Zelino. Aquele irmão esfumado, fruto de um pai ausente, figura do avô magnata.

São escuras e borradas de vinho as cores da alcatifa sob os seus pés, eu me lembro. Uma mulher tapa os ouvidos e ri. É você, Ana Corama, enquanto seu amante lhe conta uma história, a deles. Ela me chama de meu bem. Ouve o que lhe digo, cobre os olhos com as mãos e sorri. Não quer saber dos nossos erros, e me perdoa porque também precisa ser perdoada. Mas agora Ana planeja acertar na vida. Penso nela e no que fomos.

Penso nele. Imagino como seria a nossa última conversa.

Distantes um do outro, imaginamos o encontro. "Me beije, Ana."

"Pare com isso, meu bem... Já lhe pedi."

"E se Gaetano dorme agora mesmo, por que você não derrama água quente no ouvido dele?"

Olho para esse homem e sinto o enjôo da espécie.

"No fundo, você é uma mulher receosa demais."

"Sou, e sei que sou, um pouco melancólica. Hoje, por exemplo, meus olhos estão inchados. Você não pode ver, mas estão."

"É verdade, cada vez menores."

"Como se não agüentassem ver mais nada, Vicente."

"Mas não ver o quê, mulher?"

"As pessoas sempre me olhando, eu acho."

"Como eu?"

"Como você, não, querido. Pois se você é só uma ave azulzinha..."

Então rimos daquela graça contra meu irmão imaginado, pássaro fiel que se empoleira nos meus dedos sempre que volto para casa. (Zelino, mano velho, fiques sabendo que vieram ao teu enterro Balbino Garau, o doutor Manfredo Guerra, meu médico, e o velho Zé Javel, um dos últimos fornecedores de vovô. Foram poucos.) E digo a ela, "Ana, você me ouviu falando agora mesmo a Zelino? E eu e ele falando, ontem, de seu pai?".

Cai dum balão uma queda muito mais sutil que o simples tropeço do desastre em família. Ontem à noite Vicente refez com as mãos o salto de meu pai, o pulo que varou ares mais altos que a soberba dos novos donos de Santo Antão e, entre eles, seu próprio avô, o velho José Wellington Dueire. Nome que meu amigo restaurou no irmão penado.

Cedo na manhã, e também à tardinha, Ana escreve suas histórias enquanto uma pulseira de latão cobreado faísca contra sua blusa preta, a saia carmim, as unhas de lilás quase negro. Corama aperta os lábios para exprimir melhor uma idéia em pó de grafite. Pendem dos dois lados da sua cabeça cachos que escapam à facha elástica, um bandó rendado. "Mulher, afinal o que há de comum entre nós dois? Lembra da nossa viagem de volta a Santo Antão?" E Ana me diz que sim. "Eu deveria mesmo é ter beijado você."

"Na frente dos passantes, Vicente? Com gente na pista..."

"Era difícil que nos reconhecessem. Devia ter roubado um beijo."

"Isso seria uma estupidez. Eu lhe daria uma bela bofetada."

"Esses rompantes não enganam ninguém. Quem visse, Ana, se nos vissem, pensariam imediatamente no pior."

"Pior que ser forçada, meu bem?"

"Resposta bem dada é um beijo na boca."

"Você sempre repete esse versinho, Vicente. Mas a verdade é que fomos daqui a Santo Antão com você praticamente calado, a viagem inteira."

Do carro víamos partidos de cana passando como uma borra verdejante dos dois lados da estrada. No fim da tarde, a vegetação resfria e larga suas sombras. Revejo o dia. Dirijo com minha atenção voltada para dentro e para fora. Observo se minha amiga reconhece o caminho de volta, essa visita adiada em tantos anos. A viagem que decidimos fazer naquela noite no quarto do hotel Continental, noite em que ela me passou a tesoura e me deu a permissão.

"Corte meus cabelos, meu bem. É agora ou nunca!", eu disse a ele. Na viagem, vejo Vicente dirigindo enquanto me olha de soslaio. Acha que, chegando lá, fará dos campos em volta da fábrica um ungüento curador da nossa velha ânsia. Passam sombras por cima do carro, como uma manta arrebatada pelas mãos dum ilusionista. Mas são apenas anuns e mariposas. As curvas que fazemos, para os dois lados e avante, revelam aos poucos cabanas e pés de caju. O caminho do trem sumiu à direita, na mata baixa. Deslizamos num asfalto pedregoso e solto, cavado pouco a pouco pelos pneus de caminhões apinhados de feixes escuros, molhos imensos catados dos campos após a queimada, essa velha calcinação que põe no ar uma fuligem açucarada e triste. "No tempo da botada, antes, muito antes da nossa viagem, Buzelim, aquele touro de máscara branca e beiço negro, tinha os cornos enfeitados com uma guirlanda de manacás. Andava florido, feminino, passava amargo para o pasto da frente. Vinha devagar ver a festa no copiar da casa. Até hoje sonho com esse animal correndo atrás de mim, as várias perseguições que sofri do boi inteiro, seu arruar vaporoso que saía das narinas grossas e perfuradas por um anel de latão. Apanhando a barra da saia com as mãos, corria, corria, e ele ainda atrás de mim, eu esperando a dor da marrada final. O cercado sempre à mesma distância, longe das mãos. Outras vezes, aliviada por já estar diante da porteira, a taramela me escapava dos dedos. 'Meu pai!', eu gritava com a impressão do rosto inundado, e nunca olhava para trás, porque sabia que se olhasse daria com a máscara raivosa e humana de Buzelim, o touro eleito do seu avô, Vicente."

"Quando aquele imenso boi ladino morreu, as vacas, muitas delas, quase todas, mugiram pela noite e mais um dia inteiro um som fofo, aflito. Lembra, Ana? Dava pena."

"Meu bem, como é que um animal remanchão, como o gado feminino, pode sentir tanto pesar por um touro com flores nos cornos?" Vicente me diz que a dor é comum a qualquer espécie. Ele fala, sua boca vem rumo à minha testa. "Olhe para a frente! Veja a estrada, meu bem." Nós dois temos o alvo no sorriso um do outro.

"Você, Ana, também... Parece que vive com medo!" Ela me ouve calada. Passam os bueiros de Moreno e Tombador. Passa o depósito de madeira de Baltazar Neire e a balança de pesagem. Passa, enfim, a entrada de Chã Grande, caminho de Belavista, a velha fazenda-ateliê de mestre Balbino Garau.

"Acho que não gosto mais do campo, Vicente. A vida muito atrasada..."

"Do ipê-roxo depondo um manto para quem quiser se deitar em cima?"

"Não digo isso, mas do limite que é viver cercado por animais, e o cheiro dos animais, e sempre as mesmas pessoas."

"Toda roça tem sua técnica, Ana."

"A quimurgia..."

"A *quimiurgia*, por exemplo. A transformação das coisas em outras. Planta-se uma semente, nasce uma fruta e, dela, outro composto. Que tal isso? Duma só muda de cana, anos depois, toneladas e toneladas de açúcar."

"Mas eu só gosto das histórias, meu bem."

"Você escreve as histórias que quiser, Ana. Não precisa estar em lugar nenhum."

"Eu sei." Vicente tem a voz embotada pelo verde que sempre se renova e, após a queimada, cede seu doce.

"Fiz este caminho tantas vezes, Ana. Eu pequeno, aqui na estrada ou no trilho ali ao lado. Baixávamos pela serra assistindo a boqueirões e taquarais pelo vidro da janela. O coqueiral cedendo à mata folhosa. Passava um cão doido e eu vigiava Fedra com sua língua solta na boca.

"Você está bem, Vicente? Tem certeza que quer ir até lá?"

Ana Corama, seus olhos rasos pelo meu tom de invocar velhas feridas. Faz suas ressalvas, quer me atar ao agora-é-diferente, quer que sejamos maduros enquanto o carro traga seu caminho na volta para Santo Antão. Ela se repete.

"Você acha mesmo que está bem para dirigir?"

Campos de caiana avisam usina à vista. Toda a gravidade do verde se torna então verde-claro, aquele tapete sem fim. Uma vastidão de lançar meus olhos se impõe entre nós e o céu. Carro de besta, burro-sem-rabo, carro de mão, bicicleta na estrada, vão todos costurando a banqueta e o asfalto. "O que é que há, Ana Corama. De novo isso?"

"Você me assusta, Vicente. Quando penso que é tempo de ter mais certeza nas coisas, você vem e brinca."

Ela me responde mostrando um coque escuro, apertando as têmporas com a ponta dos dedos. Corama e sua veia dramática. O modo de acionar seu penteado de cobras, seu olhar que ainda me petrifica. O céu agora fumega em nuvens baixas e gordas, faz estripulias brancas, cinzentas, grená. É um camelo, é uma paca, é o rosa algodão-doce que puxa pela tarde e eu sempre suspeitando figuras no ar. O carro faz uma curva zonza, fico mais pesado dum lado, deixamos a pista por um segundo enquanto o pneu desliza no acostamento. Desliza de novo e volta à estrada, agora firme.

"Pare, Vicente, por favor!"

"Tomei duas doses, Ana Maria Corama. Somente duas!"

"Você misturou com o vinho. Você mistura tudo."

Ela fala e não me vê. Seus cabelos, escovados e presos, parecem um fruto antigo, de ébano e cera. Lá fora vemos os velhos campos de Mussurepe, engenho de meu avô Wellington, depois reunido em Santo Antão, usininha tomada do grande Dahirou. O carro corre. Volto a meus caminhos de antes. Fedra latindo de ouvir o ganido dum escape de motoneta. Escuto e repito. Lá atrás, ainda em minhas mãos, muito além do volante revejo meus bonecos de milho, arame e chumbo fazendo presas entre si, cavalgando na tampa da caixa longa de papelão cheiroso, presentes de meu pai, Anquises Campelo. Lembro que nas viagens brincava muito. Meu xerife dando seu primeiro ultimato a um forasteiro importuno, maçante demais, diria seu Simo, nosso motorista em Santo Antão e depois vigia no Recife. Naquele tempo, andava sozinho, da capital à usina, do campo ao colégio armando intrigas entre peças de chumbo colorido. Minha atenção dividida se refundia naqueles brinquedos. Fedra, no carro ou no trem, me via e nos lambia, a mim e Zelino. Estranhávamos os ruídos da viagem, mas seguíamos fielmente juntos. Os três.

Ainda há pouco, guiando seu carro, meu amigo lançou na estrada coberta pelo lusco-fusco, nessa hora tão perigosa, seu olhar vítreo ao reconhecer os partidos de sua infância. As toneladas que moeu, prensou, ferveu, fermentou, decantou e destilou, tirando da folha lamelosa e verde um suco potente, sacarino, alcoólico. Mas sua técnica não resiste ao amargo da própria recordação. Latiu. Melhor, ladrou como um grito esganiçado, imitando a perdigueira Fedra. Vicente Campelo, o químico de imaginação plástica e sonora. Era novamente a impostura, ou seu modo de gozar um antigo desgosto? Esse homem, meu amigo, meu bem, você, Vicente, me guia rápido demais, de volta a terras que outrora foram de meu pai e de seu avô, o velho Zé Wellington. "Tenha cuidado, por favor!", mas de novo ele late como se rosnasse mais alto que o próprio tempo de então. Brinca com o que fomos.

No carro, Ana Corama chora enquanto o vento desfia seus cabelos. Não vejo suas lágrimas. Sei delas pelo modo de Ana suspirar apertando os olhos, seu braço elevado, a cabeça derreada e a voz amortecida pelo pântano da garganta. Pisquei os olhos querendo despertar, deitei fora meus bonecos e seus cavalos, quis falar a meu parceiro Zelino do laboratório de velas que armaríamos no jardim, dentro do viveiro grande e vazio. "Quieta, Fedra!"

Vicente Campelo agora fala como se falasse à própria cadela. Escuto, mas me custa acreditar.

"Em meia hora chegaremos à usina. Nesse tempinho Fedra teria bebido sete potes cheios d'água. Sete, minto, mas seria uma imensa poça."

"É preciso saber viver, Vicente."

"Como assim?"

"Quando você fala desse tempo, sua voz muda."

"Você também, Ana. Podemos falar na sua língua, se quiser."

"Minha língua é a sua língua, estúpido. Por que você não conta o que me prometeu?"

"Calma, Ana."

"Vicente, meu bem. Eu trouxe a tesoura que você me pediu. Escute...", mas Vicente dirige com os olhos vidrados na estrada.

"A viagem foi tão rápida, hein, minha bela?"

E como um gato, que da noite para o dia se lembra da permissão de ontem de subir no sofá, Vicente chegou mais perto. Chegou e esteve ao meu lado. O carro resfolegava, parado fora da curva que desce antes de se atravessar a ponte do Poreja. Aos poucos, o vento que deixamos para trás trazia a poeira, os fumos de diesel e o odor de borracha queimada. Essa nuvem que largamos na estrada agora tinha o cheiro das raízes, o perfume arrancado da estrada pela pressa dos pneus. Será que toda essa antiga exaltação, sanha que movia um jovem isolado na sua devoção à tecnologia de indústria, voltou com esse Vicente maduro, agora senhor de muitos dos seus próprios caminhos? Meu amigo ali insistia em me contar suas histórias. Por exemplo, aquela nossa viagem que agora lembramos cada qual em seu quarto. Ele lá, eu aqui ao lado de Gaetano. Naquela última aventura, quando meu amigo olhou por sobre os postes e cabos da ponte e viu, por trás deles, as luzes de Santo Antão, a borda pontilhada do bueiro duplo, as máquinas paradas no escuro, dormentes como bichos de outros tempos, enfim, viramos duas estátuas tentando impedir o arroubo daquela escandalosa repetição. E no momento em que desistimos de atravessar a ponte, Vicente me repetiu o velho som da saudação canavieira, Puã-puã! Puuãão! O apito que à tardinha soava do bojo da fábrica e que, ainda hoje, nos chega aos ouvidos.

Ressoam como ressoaria um clarim.

Sonoros e doem.

Doem, mas dão o gosto daquele tempo.

Nem tudo que ficou para trás faz bem.

Realmente, o que é que se pode saber do passado?

Tudo que passa fica estúpido.

Não pudemos ir adiante. Cruzar a ponte. Voltamos porque nem eu nem Ana conseguiríamos atravessar Santo Antão de dia, ali, logo após o rio. De longe, sim. Havia, claro, aquela velha promessa que fizemos um ao outro.

"Me corte os cabelos aqui mesmo, meu bem."

A promessa que Ana me fez. E, na volta ao Recife, fios sozinhos ou atados em mechas voavam dentro do carro, faziam do ar uma maranha, vinham pousar em nossos olhos e nas bocas, enquanto catávamos esse novelo com a ponta dos dedos, sentindo neles o gosto de um dia e meio de viagem que roubou de mim e dela o que já buscamos com o fervor das próprias unhas. Corama ria, mas seus cabelos, curtos como eram quando a conheci, agora, na mulher que é, lhe davam a graça do desafio ao tempo. Quis apertar-lhe a nuca. Ela, meu rosto e minhas mãos. Quis desfiar sua blusa. Ela, meus cadernos e os filmes de fotografia. Não há quem possa provar que estivemos lá.

Ninguém se importa se estivemos ou não.

Voltamos sem deixar vestígios. Até hoje me lembro dessa viagem gorada, achando graça no absurdo daquela hora...

Que loucura.

Agora que estou só, penso nisso. Em Ana Corama.

De vez em quando, ainda volto a pensar em Vicente.

Há pouco, coberto pelo que seria sua capa basta de pêlos, meu braço alcançou o álbum onde revejo as fotos dessa viagem abortada. Aquele carro é hoje sucata do tempo em que nós dois, por trás do pára-brisa, prendíamos o riso enquanto eu lhe cortava os cabelos grossos. Ana Corama se regala ao rever essas histórias na duração das noites mortas que lhe dá Gaetano, o homem que ressona na sua cama enquanto ela se lembra da nossa volta ao Recife, correndo num carro cheio dos cachos da sua cabeça, os cachos rodopiando em volta das nossas bocas.

Vicente me aparou os cabelos como fazia meu pai.

O quarto de Ana está sempre iluminado, porque ela escreve irritando Gaetano, dizendo à velha Magda Pola que lhe copie a sanha da noite gasta e infeliz. Essa velha, que me teve nos braços e nos acompanha há tantos anos, agora ouve Ana e lhe obedece riscando no papel mundinhos infantis.

Escrevo a nossa história. Escrevo para regalo dos pequenos.

Longe de mim, Ana escreve a *sua* história.

Embalados pelo hábito moroso que é a vida, malqueremos a sorte de morrer, mesmo acenando a ela como se o convite fosse atrativo. Aqui mesmo, dentro de casa, vejo um exemplo. Magda, que tanto prezamos, apesar da idade voltou a fumar. Quando entrar, vou lhe dizer, “Mulher! Você que não goze desse vício por onde eu for. Pensa que no tempo que nos resta quero dentro de casa ainda esse cheiro de queimação vegetal?". Ouço-a. Conheço o tempo exato dessa passada miúda e infirme, essa sinceridade de escorpião, o estralo dos seus botins riscando o assoalho e meus tapetes. "Magda, moça velha, sei que você está aí no canto, muda e envergada no beiral da janela aspirando seu cigarro e querendo sair daqui, se ver livre de mim, ou pensa que não escuto mais?", e, me dando razão, há pouco soprou a corrente malcheirosa que leva e traz esse fumal tímido, de mulher magra e quase totalmente desenervada. Pensará mesmo que, além de tudo, não ouço mais? Mas se sei até imitar a nota de seu sibilo, o fio delgado dessa inalação disfarçada... Como a flor que qualquer mulher traz na barra do curto roupão de pele, pois mulher é pele, ela se engana gastando o tempo que lhe resta na consumição do que é ínfimo. "Magda, apanhe na caixa de cartas o pacote atado com duas fitas. Na banda papelada do maço tem as iniciais *D.C.* Ouviu? Está na arca do quarto, a pequena." Agora ela sai, lenta. Tem lá suas raivas, caminha com os pés arrastados, quando já lhe pedi várias vezes que não fizesse isso. Enfim, voltou, sentou-se e lê como se lavrasse a lei do Pai. Essa Magda! Pedi que se ativesse à carta certa, digo-lhe, só a datada de outubro de 1934, ouviu? Gosto, e ela não sabe nem saberá nunca, da sua voz pausada, enleante e débil pelo pouco que tem de nasal; seu modo de fazer a fala de quem ela nem mesmo se lembra. *Você é jovem, só me entenderá depois*, meu pai me escreveu na última carta. Magda relê, *Verá que tenho razão no que lhe digo, sweet Ann Marie.* Foi então que me pediu um filho para os Dueire. Um filho de Gaetano.

Corama sorri quando narra à velha Magda suas histórias de acalanto e fantasia. Toda criança pára quando lhe lêem as peripécias pensadas por essa mulher. Talvez ouçam por trás da história aquele aperto de dentes que dizem ter sido a sorte dum herói travesso, a verdadeira figura da desdita dos Corama.

"Magda, você ainda está aí? Ouviu o que lhe disse? Então vá buscar o caderno azul e copie com tinta preta, letras bem grandes, o que vou lhe dizer agora. Ainda o mesmo livro, é. *Aviário oeste*. A história continua entre o menino e a passarinha. Meu heroizinho não tem o exagero de mãos coloridas, nem jardina ou maneja uma atiradeira, mas olha o céu dia e noite. Enxerga seus gigantes. Faz das estrelas campo de norte e influência, vê estirados entre os postes poleiros longos, muitos deles ardis por onde flui, por exemplo, a eletricidade. Medo da mata ele tem, mas corre mais que o vento e faz pou! quando rompe a barreira do som. Isso mesmo, Magda, ouça e escreva, barreira do som. Quebrada. Pou! Esse estrondo assusta os pássaros. A revoada dos pássaros assusta o menino. O susto dele, desenhado com letras tremidas, espanta meu jovem leitor, eu sei. Isso é para o desenhista saber. O mundo agora é de temor, então engrosse a tinta, Magda, faça um sinal para lembrar a quem for me ilustrar que neste ponto a página escurece, todo o ambiente em redor. De noite então ele olha e seus olhos são dois luzeiros. Depois, não. Depois a lavandeira, passarinha duma perna só, porque perdeu seu ninho, essa ave de quem meu herói havia caçoado, imitando sua perneta, enfim, ela lhe roga a má-fé. Diz a ele que fique mal. Que seja outra coisa. A praga de penas pegou. Meu heroizinho, virado em coruja caolha, vê agora o avesso do dia. Transmudado em ser noturno, vagabundeia pela madrugada e, quando fala, em vez de falar, pia. Dá medo a quem antes andava com ele na folga da brincadeira. Esse menino, por voar à noite, vê quem era e quem é, vê sua família à mesa. De cima das telhas, vigia sua própria casa. Choram por ele, por sentirem sua falta.

Mas o herói, temendo ser esquecido, virar estrela, decide enfrentar o mau-encanto e, com isso firme na cabecinha de coruja, parte numa jornada. Sua viagem é o meu livro, Magda. Já tenho, mesmo que você não me acredite, um final para a sorte desse herói que se esvai na procura de voltar a ser o que era antes. Anote, mulher, a coruja dum olho só voa rasante dia e noite, até que encontra quem buscava, e com raiva morde e rouba a última perna da lavandeira, a sacizinha do ar, ela agora nuela, despatada, não pode pousar, voa sempre. Eis a falta louca que meu heroizinho lhe impôs. É a pena do alerta perene. Agora cada qual, convertido no que não quer, sofre o que o outro lhe fez. O menino porta a perna da lavandeira. Mas ela tem a palavra que lhe pôs sob o encanto de ser coruja. Você pode pensar, Magda, porque vejo seu espanto, que há crueldade demais. Mas não. A lavandeira, passarinha agoureira, era ave desde o começo transformada. Quando meu herói a beija, querendo ser seu pequeno Judas, ela volta a ser pessoa de sangue. Pou! Anote isso para o gráfico ilustrador. Nessa página, ouro sobre azul. Pensando que a traía, ele a salva. Que susto, hein! Magda, minha preferida, agora saia e me deixe só. Este é o final." Então ela sai.

> Ana Corama ditou a Magda Pola cinco dos seus livrinhos infantis. Depois, minha bela sumiu. Por onde andará você, Ana?

Ouço, a modo de descanso, e movida pela rotação do toca-discos, a lamentação de Orfeu por Eurídice, enquanto sorvo meu copo d'água com casca de limão e gelo. O primeiro encanto moderno dum amor transformado em música pela vitória do próprio amor, esse é o dessa canção. Como pode o minuto duma melodia com tanto efeito, a mera simplicidade da repetição, ser mais bela que todos esses meus últimos anos? Nunca uma história minha poderá competir com o que foi meu pai. Ou com a imaginação de meu bem, Vicente Campelo. E também com a desdita desse primeiro casal, Orfeu e a sua amada, Eurídice. Ao olhar para trás, aquele homem petrificou quem ele próprio queria. Quase se tocam, os dois amantes, como Deus a seu Adão. Ai, caso acerbo! Essa estrela injuriosa e o céu avaro. Quando Magda voltar, vou lhe dizer que a lavandeira, passarinha mensageira, após o beijo voltou a ser Marianha, a prima perdida do menino Jurandir, meu herói. Há entre eles muito amor. Ela beija aquele moço e os dois, abraçados, agora Jurandir sem ser a coruja caolha, Marianha não mais a passarinha palerma, eles rolam na grama recém-cortada, os corpos salpicados de forragem verdosa pelas coxas, pelos braços, nos rostos e, um para o outro, dizem o que sabem, correm na carruagem cheia de cabelos esvoaçantes que eles catam das bocas, se desculpam e chegam afinal a um caminho de volta para casa. Vão se casar, é claro. Direi a Magda, não vou mais deixar que Vicente me atrapalhe com sua latomia de insistir no que é baldado. De agora em adiante, o futuro. De todos, tenho certeza, esse vai ser meu melhor livrinho. Nossa história, meu bem, não tenho mais medo dela. Eu, Zelino e Vicente Campelo. O imaginado e o real. Um era voador; o outro, eterno observador do solúvel. Isso, sim, dará uma bela trama para o meu *Aviário oeste*.

A noite cega varava a noite acesa em que meus olhos, intermitentes, caçavam vaga-lumes apontando-os pela janela, muito além da sua tela turvada que me isolava do tremeluz. Um sono tenso, sono de sombras adivinhadas, desistiu de mim quando avistei um facho de carro. O facho humilhava minhas presas, os vaga-lumes, ou bem era o sol deles. Era também o meu, pois esse sol fez um círculo e esteve em casa. Seja nosso, seu carro, seja nosso, eu pedia. Cruzei os dedos; pensei cruzá-los. Ouvi o motor amortecer sua máquina e serenar. Sem Zelino ao meu lado, mas no futuro logo à frente sempre ele, espreitei. Por baixo da porta vinha o cheiro de óleo queimado me eriçar a pele, benzendo minhas narinas, tornando meu peito um susto de concriz.

O ruído que eu imitava, ora rangendo os dentes, ora prendendo um riso, era agora o dum molho de chaves em lenta revolução, seu pacífico tlintlim esmorecendo minha espera. E como num beijo, porque bocas se abrem para outras bocas, a porta se abriu. Também eu, finalmente sorrindo, não mais entregue ao meu ser-eu-caviloso, disparei sem juízo, embora fosse uma disparada dentro de mim. No mundo afora passeei pelo corredor, saltei uma cadeira com cuidado e acenei para mamãe na poltrona da sala, Elena, ela em frente ao móvel do rádio. Seu rosto, tão sério, voltou-se para nós dois, porque Anquises (era o meu pai) afinal entrava em casa. Levantamos para aquela festa. Ele, antes de mim, se agachou com os olhos na minha boca risonha, mas eu só lhe via as mãos, ansioso por receber aquela caixa, caixotão, embrulho magnífico em papel de cores como urtigas que me retorciam para além de mim. Os presentes de Anquises, Zelino, tu sabes, foram um modo de fazer eu e, depois, eu e tu visitarmos na balbúrdia da imaginação os passos que ele deu por onde jamais andamos juntos.

Por que logo agora, Zelino, passados tantos anos, muito depois de que minha espera foi serenada pela notícia impossível de se saber dele, após sua guinada avante (pois há tempo que não revia esses objetos), ainda me agarro à memória da sua volta com outro mimo na ponta dos braços? Para que mantive até hoje, enfileirados numa prateleira baixa, quase na ordem em que me foram dados, tantos daqueles presentes trazidos pelo gerente severo e colecionador, o meu pai, Anquises Tribot Campelo?

Hoje, agora que tento esboçar uma última vez a vida imatura desse homem, o peso dum afeto furta-cor embaça o plano que tracei e cobre de detalhes inúteis o retrato duma vida que, no entanto, foi reta e compreensível. Em seu ambiente doméstico e profissional, o progresso de meu pai (sua efervescência tão moderada, meu acanhamento diante da saudação que ele fazia a um industrial, mas igualmente a um garçom ou a um cachorro de rua) fez da vida dele um caminho inútil, jamais cuidadoso de si, sempre com alvo na prestação aos outros. Dilatou-se, secou e depois morreu longe e confuso, o grande Anquises, entre dois ou três tempos; o passado, o presente e talvez mesmo o futuro, um tipo de futuro que para a maioria de nós era incompreensível, aquele seu modo de acreditar que as coisas "deveriam ter sido diferentes..." Esse homem bonachão andou sempre catando a companhia de coisas e pessoas, chorou muito, nunca disfarçou isso, e dava atenção a qualquer um que lhe aparecesse na frente. Afinal chegou ao que, todo mundo via, era o sentimento gratuito do aperto de mão completamente desarmado, sem qualquer sentinela por trás da exibição do meticuloso rito cordial que, por certo, sempre calculamos, mas ele não. Basta lembrarmos isso para que fique claro que sua vida foi galante e invisível. E em parte por isso mesmo ele definhou sob a estatura do sogro, o matuto lento e comercial, cujas empresas embalaram meu pai tão longe do chão que sua cerviz brotou terna e infirme. Não duvido que neste caso o balanceio (de muito alto a muito baixo) acresceu e decresceu sua estirpe, a gravidade nos olhos, o próprio arroubo que compõe o modo cabal de sermos humanos, tudo aluído pelo vulto de José Wellington Dueire, aquela sombra de meu avô que se alargava pelos imensos partidos da velha Santo Antão.

Pois a chuva que nos abateu desde quinta-feira e súbito rebaixou a estatura da cidade, embora tenha empapado todos esses regalos que Anquises me trouxe, e com isso retorcido seus relevos, as arestas dos meus caminhões de pau e lata, as caixas cheias de apitos de nambu, cartões e tubos de ensaio, as condecorações do meu pelotão de soldados abraçados a seus canhões feitos de casca de cartucho vinte, todos metidos na caixinha do bilboquê, enfim, embora tudo isso tenha se escabujado pela desordem da enxurrada, essa água não levou o que mantenho comigo, isto sim, agora a salvo aqui no quarto de cima, a antiga aliança de meu pai, a larga e cinzelada com cinco flores-de-lis. Jóia que engordava seu anular e faiscava no mormaço da cidade, separava-lhe o nó do dedo dos pêlos castanhos brotando duma mão aberta, fina e mais alva que minha mãe. Com essa luva areada pelo amarelo luzente, Anquises entretinha seus convidados, sacava do bolso da calça ou do colete o relógio do tio, o arcebispo dom Lino Tribot, e por um instante víamos, eu via, o metal com metal tilintar aquele som que igualmente lhe abria um riso de vinho ou de uísque. Assim nos festejávamos, eu e ele, e a impressão nos convivas devia ser, e era mesmo, fortíssima, pois naquilo se via em que consiste um pai diante de seu próprio herdeiro mirim.

Olhando em redor, agora vejo aqui e ali o halo deixado nas paredes pela deposição dos quadros que Anquises juntou por metade da vida, a metade que foi minha duração de menino. E quando sentávamos para conversar, ele me apontando a igualdade na diferença de cada peça, eu era feliz e lhe repetia a opinião, logo agregando minha própria preferência, então ali *ele* era feliz. Mais que brincar de corrida ou pega, muito mais que pular corda ou topar o toca-ladrão, a prática com o mundo adulto me deu ganas de sofrer o gozo da maturação com pressa. Apontava e lhe dizia, "Em José Pancetti, papai, o doce solitário dum olho marinho. Em Cícero Dias, o traço redondo dum sonho surpreso e burlão. Finalmente, em Balbino Garau é sempre aquele tom fechado em pinceladas que aumentam as mãos, abrem os olhos do retratado e lançam um grito mudo, como se fosse por dentro da gente, não é?" Sorria muito, Anquises, e também desatava feito criança. Nesses momentos me espalhava os cabelos, aquela velha provocação do agrado paternal. Nas fotos que guardei dele, em todas elas, seus olhos agora me aparecem sérios, seus dentes nunca se vêem.

Hoje, vejo ao redor de mim os despojos do desmantelo da usina, quando muita máquina feroz há tempo que se acomodou à mera sacarina da decoração. O tacho de purgação, a espiral do alambique de cobre, o sino e o apito da máquina 21, as placas de patente dos meus decantadores, uma roda de moenda com dentada completa... Tudo adornando salas e jardins. Está aqui o que seguia antes a todo vapor. E dentro de casa, como também lá fora, os caixotes da mudança. A Casa Azul vai agora branca e limosa com línguas escuras tatuadas nas paredes pela varação das infiltrações, formando borras ovais neste antigo casarão que pertenceu aos Corama, que então foi de meu avô, da minha mãe e, após a partida de meu pai, que serviu também a Gaetano e Ana Corama. Enfim, este palacete que o governador Agamenon Magalhães chamou de *gaiola de ouro* agora se desnuda para mais outro repasso. A casa acaba de ser vendida. Mudaremos eu e a velha Magda Pola daqui a menos de duas semanas.

Mas nesta mesma sala, sala não, sacada de dentro, minhas três cadeiras de vime ainda miram as duas folhas do janelão recortado por sua grelha de ferro fundido, e fazem um painel. Toda tarde, no fim delas, aguardo a queda do dia por esse vitral sem cor, a não ser pelos tons soberanos que varam meus vidros e vêm ressaltar as cadeiras. O ronrom de palha desses assentos, seus travos roucos, deu quase sempre uma música mastigada sem intenção pelas minhas poucas visitas, que agora rareiam ainda mais. Antes mesmo de lhes ouvir a voz, aprendi a catar do ranger desse vime a gravidade de corpos anchos e delgados, fossem homens ou mulheres. Ninguém diz em bom-tom o que se pretende por plano. Ao invés, qualquer um é mais sincero no conforto do que se nos antepara, como, por exemplo, em uma bela cadeira. Falar de pé, se sabe, é o oposto do parto, nada sai dali (do homem ereto) que sirva no futuro para se desenvolver por etapas, como uma mulher que seja mais do que uma simples costela inflada.

É o caso de agora eu dizer que ontem, enquanto a castanheira lá fora copava sua sombra vazada por sobre a varanda, eu, recostado na estampa vigorosa do espaldar que me empalava, retendo uma cerviz pejada de sono, enfim, vi que uma poça de sol se alargava no chão à frente e lentamente contornava um dos meus pés. Estiquei as pernas até pisar no clarão, mas a mancha se ajustava à minha forma e me cobria a chinela lambendo-a mais viva, como se fosse uma gota de solução fosforescente, vertendo aquilo em que tocava numa chaga redonda de pele tornassol. Sei desse vexame pelo modo como, no ar, a luz irisa minha pele. Chamei Magda Pola para fechar as janelas. Seu passo mudo, uma agilidade de queda lenta, ceifando a visão de quem a observa, insistiu, veio e voltou, me trouxe um copo d'água. Logo comentamos a chuva e o enfado da saúde que falha a ambos. Afinal ela saiu e não estirou as cortinas. Deixou que esses fachos de poeira luminosa imprimissem minha sombra contra as cadeiras, na parede, e fossem alçar no piso de cerâmica um passo mais fino, rebatendo um sobejo de amarelo no imo da minha visão embaçada, muito embora remanescente daquele antigo verdor. Porque é o verde, e não o azul, a cor de se camuflar qualquer distância.

Em mim, pois, havia uma dança desses feixes. Aos poucos o sol fazia cócegas em vários cantos do meu corpo, atrás da coxa, no alvo do antebraço, nuca e tórax também. Da satisfação desses tiques minhas unhas regressavam úmidas. Pelos poros minava menos que por quatro fileiras de cílios agastados, fechando-se e abrindo-se, largando limo para fora da minha própria vontade de travá-los a goles, de encerrar meu dó garganta abaixo sem que houvesse, no entanto, laço de gravata atado ao pescoço.

Queria beber o novo, o doce que não posso mais, por fraca que seja a minha diabetes. Eu, hoje babão ante as novidades do refresco gasoso, antes de conhecer a Coca-Cola conheci a Baré Cola; antes da Baré Cola, a Tubaína; antes de conhecer a Tubaína conheci Jesus, de frasco sinuoso e líquido rosado, ativo de bolhas. Esses refrigerantes modernos (marrom, amarelo, salmão) enfileiravam nas prateleiras da venda da esquina. A Fratelli Vita, rainha de todas, era granada; depois aprendi a dizê-la cor de topázio-real. Essas bebidas agora suprem o gosto da antiga garapa, insuflam minha língua molhando-a por dizerem seu açúcar hoje cheio de gás e me lembram uma tarde ensolarada, seca, ansiosa demais.

De tudo que restou do antigo rompante da Casa Azul, Magda sabe, do grandioso desmontar de Santo Antão me coube apenas a caneta de Dahirou Corama, a aliança de Anquises e os santos de mamãe, José ajoelhado e Francisco de Assis. Entre eles aranhas agora cativam felpas pegajosas e esperam render moscas, mosquitos e formigas de asas. Não para mim, mas para o porte miúdo desses insetos aquelas mantilhas são túmulos lançados no ar. Juntamente a essa técnica de enredar, uma chuvinha constante, talvez da mesma matéria, se precipita mais e mais a cada dia. Por sobre os santos, e mesmo aos seus pés, essa poeira que o tempo moeu com pachorra me surpreende quando soergo alguma peanha, meu cinzeiro ou um castiçal. Pequenos círculos luzentes então revelam o verdadeiro teor da mesa, sua cor rebrilha enquanto o resto do tampo se deixa apagar por uma sombra exata e granulosa. De justíssima medida, essa chuva seca diminui nossa intensidade, rebate cores um semitom a menos e se desdobra num cobertor matreiro de claro pó. O tempo, passando, se desfaz em açúcar infinitamente delgado e a tudo polvilha. A poeira que desce e faz dos pêlos um reflexo da tez dos ossos, essa poeira reverte nossas têmporas em cinzas. Primeiro poucos fios, mas de repente toda a cabeleira se vê desbastada de cor ou volume. O pó que baixa puindo vértebras, nos escavando em calvas, vem da caspa perene de Deus. E é apenas através desse elemento que Ele se deixa tocar. Contra Seu pó Magda luta todos os dias sem saber que desacata os despojos do Corpo Divino com uma mera flanela azulzinha, surrupiando as migalhas que vieram reclamar o tempo restante dos nossos dias. Sob essa poeira alva ninguém é mais do que um simples glacê humano. Nosso terror é estar prestes à diluição, seja ela pelos óleos da unção ou pela própria água duas vezes benta, mesmo continuamente rebenta, ou mais ainda.

Três vezes. Como se nos ungisse um irresistível banho de terebentina.

"Magda, você limpou esses santos hoje?"

Ela me diz que não, mas de perto enxergo a mão do José descascada por queda ou pela esfregação desatenta. A velha Magda nega que tenha se descuidado naquilo, mesmo sabendo que estamos sós, e que se não fui eu, tudo que aqui sucede foi ela, minha velha, minha única companhia. Afilhada de Elena, minha mãe. Ex-secretária de Corama, minha amiga.

Rebatida por um craquelê medonho, a mão do santo calça uma luva triste, malha de caquinhos do que fora, antes, uma garra sem rugas, agora estilhaçada em sua pele de casca de ovo, colada sem carnes ao esqueleto madeiroso, enfim, tive asco dessa mão! Quase não pude tocá-la... Afinal olhei-a de perto, pus nela a *minha* mão, estirei o *meu* dedo e afundei no ar surpreso do santo. O horror foi quando senti o dedo de São José cedendo para dentro, dobrando-se para vir mostrar um talho marrom na junta da mão, e agora apontava para si mesmo, esse José cabotino... Meu alarme foi grande. O santo perdera a direção. Sem no entanto pedir uma trégua a Deus, como desfazer esse acidente que eu acabava de piorar? Olhei para o corredor de onde Magda ressurgia falante, risonha, entretida por alguém que depois reconheci ser de casa. Contudo, Zelino, naquele instante minha surpresa não foi menor.

De sorte que ontem, na hora da minha sesta, ou depois dela, veio Gaetano, sua testa lustrosa revidando o resto da claridade que nos maçava, enquanto eu via, o espanto era aquela estatura de homem envergado pela derrocada total dos Dueire. Gaetano, prestimoso, soprando da língua uma polidez que já fora reconhecível (hoje somente um eco), afinal entrou e sentou-se. Resisti-lhe a mão, fiz um aceno da minha cadeira. Há sempre uma primeira vez para essas surpresas. Ontem era a de que ele vinha me ver aqui dentro, na casa em que viveu com Ana Corama, mas vestindo um terno recente e completo. Novamente nos cumprimentamos. Diante de nós dois, ali em redor, banzava a sombra em tudo cerimoniosa de Magda. Sua bandeja de cafezinho expirou e perdeu interesse para o bronze da mesa. Não bebi nada, seguiu-se então que naquela tarde Gaetano não esteve à vontade. E isto talvez por saber que, após a venda da casa, culpei-o pelo incômodo que será me mudar daqui, livrar-me dos móveis que foram de Dahirou, depois de meu avô Wellington e da minha mãe, móveis que sua própria mulher, Ana, escavou escrevendo nos dias em que andou inventando por cá. Encaixotar novamente as roupas e minhas coleções, que enfado! Da cadeira, ontem, só queria saber de mim, ele disse. Mas notei que havia algo mais. Elogiei o fim do dia e ele se demorou de propósito. Não respondi às suas perguntas mais finas, dizia-lhe que não, que sim, é claro, quando súbito Gaetano pôs um fim àquela cerimônia.

Então meu parente tirou do bolso do paletó uma mão vagarosa, como se envolto naquela flanela vindo em minha direção estivesse o próprio peixe redivivo; seus dedos pulsavam e, creio eu, o embrulho estalou também. Gaetano depôs o pacotinho na mesa, diante do velho álbum de retratos. Encarei-o bem, mirei no seu dedo a piscadela do anel berrante que me distraía do pacote. Fiz um gesto descontente, me enfadei, fingi enfado diante do rostinho gordo e risonho de *tio* Gaetano Dueire, "Agora é nada!", disse comigo e sacudi as mãos. Estava impaciente. Devo ter lhe feito uma cara feia.

"Gaetano, afinal o que há num nome, hein? Há sanha, há tempo. Um nome revertido, por exemplo, feito impostura, mas também o seu refolho, tudo abranda o que pode ser original e ter aquela fúria, porque impede o homem e nossas ações de se adequarem a um ritmo mais normal... De ser gente normal. Se acostumar com a vida de gente normal... E por acaso você entende o que é isso?"

Gaetano ficou calado. Pensei, claro que sei o que ele tem nas mãos, a peça ali na mesa, e o quanto me pedir por esse relógio, uma loucura, não sei se pago, não devia, mas alguém acaba encontrando meios, e tudo talvez só por causa do orgulho de se cultivar um objeto dileto, vindo daquele homem de altíssima posição... "Gaetano, me passe cá essa peça."

Ele me atendeu. Embrulhado no pano estava o relógio de dom Lino Tribot. A velha paixão de meu pai, Anquises, pelo seu tio arcebispo; a disputa dele com o sogro, e afinal a venda da peça a Dahirou Corama, que me acenou com ela do alto do balão. Gaetano ali falava sozinho com o marcador, mas via o tempo dos Tribot Campelo enlevado pela distância que mantiveram da matéria de reles ganhadia. Senti aquele nó antigo, os nós de meu pai; o relógio que foi do arcebispo e que depois foi do pai de Ana, antes de desaparecer.

Gaetano disse, "Preciso de tudo em dólar, você sabe".

"Vai viajar, é? Vai fugir do país? Porque isso é dinheiro..."

"O preço não é nada, Vicente", ele disse, e apontou a peça. "Só pela máquina Patek, a caixa em ouro dezoito. Só pelas iniciais gravadas aí, essa peça vale muito mais, você sabe."

"Gaetano, não sou surdo. Não exagere, ouviu?" Que tipo de gente era meu velho tio, esse *Gaetano*?, pensei. Não tinha culpa de nada, ou era ele mesmo, o próprio, os tipos dele, sendo sua e nossa essa ganância pelo especial? "Gaetano, eu não vivo de renda, meu caro, veja bem! Me aposentei como químico..."

Ele sabia. Riscou o dedo no ar apontando para a sala. Minha vitrine. A mesa grande de jacarandá. Podia ser uma troca, por exemplo. E olhava, procurando pelas paredes.

"Gaetano, e eu tenho mais nada que lhe interesse?" Ele certamente queria dizer que aceitaria o quadro de Balbino Garau, o *Homem das mãos azuis*. A tela que o pintor fez comigo por modelo. "Não tenho mais nada. Já lhe disse!"

Calamos nisso. Depois falei, "Volte aqui na segunda-feira, volte depois, ouviu? Deixe o relógio enquanto penso. Posso pensar, não posso?". Senti que se ele se levantasse, sairia dali e não voltava mais com a peça. Então disse, "Gaetano, meu querido, tem quem pague mais? Pois venda...".

"Quero que o relógio fique na família, entendeu? Só isso, Vicente."

Mentia ainda ali e mesmo apesar de ser eu quem lhe explicava tudo. Naquele fim de tarde Gaetano saiu sem beber o cafezinho de Magda. Então ela veio fechar a porta e, de esguelha, levou a bandeja para dentro.

Impressionei-me com o modo daquele velho Dueire desistir de trazer à tona seus ataques maiores, a curiosidade de saber por onde andava nossa Ana Corama. Gaetano bem que podia me chamar lá fora, na chuva, e me dizer das suas antigas suspeitas e me acusar de ter vivido *naquele* passado, e eu lhe abateria a socos sorrindo daquele parente até meio engraçado, hoje rechonchudo e interesseiro demais.

Novamente sentado, inalei meu vaporizador. Recostei-me na cadeira e pinguei meu colírio das seis. A névoa que exalava de mim, vazada pela luz, por rápido que tenha sido, tomou uma forma sinuosa, e subia. Entrei em tempos melhores. Senti um frio. Apertei aquele marcador estupendo na mão. Agora sozinho, rolei sua corda nos dedos. O cheiro do metal, um cheiro gasoso mas retido, me assombrava. Esse tique-taque baixinho, sereno, de arcebispo mesmo; essas iniciais gravadas no verso da peça que eu raspava com meu indicador... Se fosse cego, leria o dono só pelo tato, sentindo as cavidades com meu toque, pegando com a pontinha dos dedos nas coisas, em todas, mesmo nas ilegíveis, e veria bem fundo, de olhos fechados, o que era aquilo tudo, meu Deus. Aspirei mais o vapor, soprava de volta no relógio embaçando seu brilho com meu hálito. Revejo-te, enfim, objeto possesso! Enquanto isso, as sombras cresciam ao meu redor. Sem que pudesse refreá-la, outra ansiedade vergou minha fronte, então saquei do bolso meu canivete. Dele, uma laminazinha se abriu para minha unha curta, este polegar flácido molhando-me o instrumento, dedo saído duma mão infirme.

Com a lâmina apontando a caixa dourada, achei a mossa na tampa da máquina, uma cava discreta. Meu cuidado agora era redobrado. Revi meu traço mais antigo e, como sempre, eu sozinho (tu, minha única testemunha, Zelino) fui firme e direto. Ploc! O ar dali podia ter anos a fio. A tampinha cedeu, deixou ver uma máquina toda cravejada. Aquele relógio, de costas para mim, amarelo, aberto na palma da mão, era a mesma chaga querida de sempre. Inalei um tempo odoroso há muito represado pelo maquinismo circular do arcebispo. No fundo desse relógio, por entre suas travas, abaixo daquela imensa catraca havia um espaço sem peça, um curvadinho só, e nele, a minha lente agora não falhava, li em duas palavras, mas resumindo muitas mais, o nome sempre retumbante que ainda agora faz falta. *Ana Corama*.

Súbito foi uma nuvem que turvou meu olhar. Inalação? Passei a mão em frente abanando a visão da janela. Espaçava meus fumos. Ora, diante disso tudo, um tempo de plena sedimentação, então tinha me encandeado? Mas o gás, ou seu hálito translúcido de água puxada a vapor de alento, não era o que me embaçava a vista. Essa nuvem se fazia de anteontem, entrave entre meus olhos minando bem do fundo deles. E, vencido pelo colírio e pelo nebulizador, meu cachimbo se apagava na calma da mesa à frente, enquanto tinha as pupilas maravilhadas, esperando secá-las no vidro, fixando-me naquela grelha do janelão para além do meu próprio fôlego. Foi ali, de vez, que a chuva engrossou seu cantochão. Enfim, esse relógio e aquele nome de mulher ontem finalmente voltaram a me acelerar os olhos há tanto tempo oxidados.

Faz pouco, puxando pela memória da noite passada, estanquei no meu próprio retombo. Disse que Magda tinha apanhado a bandeja de través, cevando sua curiosidade sempre atiçada pelo rompante de Gaetano. São antigas essas afinidades. Esse Dueire é galante, elogia seu bolo, enaltece o café, o lenço dela e até mesmo as unhas pintadas de Magda Pola. A desfaçatez não tinha hora para meu tio. Com essa fidalguia aparente, Gaetano ganha mais. Era melhor aquele café, a broa também, a água com gelo em bandeja forrada, tudo. Magda se esmerava. Os dois se entretêm muito. E mesmo ao telefone, quando ele me liga e estou fora, ou descansando, devem se perguntar demais! Aliás, pode ser que quando esteja recolhido ou de viagem, então é que eles conversem à vontade. Se Ana me ligou; se ela nunca mais me escreveu...

"Magda, você quer ir trabalhar para ele, não é? Você pensa que Gaetano paga a quem deve?" Às vezes cutucava minha secretária, acusando-a do que, sei, nem sequer ela mesma sabia se cometera, muito embora esse não fosse meu feitio. De novo ela ria. Ficamos dois velhos ridentes, mas principalmente, Magda sabe, por toda a vida nos assistiu em nossa derrota, a derrota duma raça inteira, porém ela completamente séria.

A verdade é que na tarde de ontem, diante de Gaetano, anoiteceu cedo. Quando meu tio saiu, baixei as cortinas da sala, pus o relógio no bolso e deixei a flanela na mesinha de centro. Trouxe para o quarto um livro e meu cachimbo, que esfriava do fumo aceso. Diante da cama, fiz um repasso. Gaetano... às vezes tinha asco dele. Devia ter ficado anos com a peça, esperando a hora de me fazer a proposta, e me trouxe a máquina parada. Será possível! Era o próprio desleixo em pessoa, meu tio. Dei corda no relógio. Voltou aquele ramerrão dum século comprimido. Pus-lhe logo na hora atual. Dei a volta no quarto sorrindo, mas um senão franzia minha testa. Fiquei revendo a conversa de há pouco. Esse Gaetano era a curiosidade em tamancos, me arrependi de finalmente ter contado a ele a história da morte de Dahirou Corama, do seu salto com o relógio de meu pai (eu achava) atado ao colete azul de borboletas. Mas a presença da peça me distraiu, esbravejei sozinho. O rancor de si próprio é o pior dos amores desfeitos, tinha raiva de mim, de meu avesso. Era mais uma vez o efeito do nhenhenhém grosseirão de Gaetano Borba Dueire! E, estranhamente, eu caíra.

Por que naquela linfa, no éter do relógio do arcebispo Lino Tribot, se escondiam os nomes da mulher Corama? Gaetano havia notado? Era habilidoso, tinha as lupas de Anquises, que Elena lhe deixou, deve ter estropiado todas, mas abrir o tampo traseiro dum relógio cedente de tão bom não bloqueava a intenção duma pessoa como ele. Gaetano sabia. Então me sondava. Talvez tivesse desconfiado de *mais ainda*. Talvez pensasse que *eu* matei Dahirou; que tinha amado a filha dele; que agora sei onde ela está. Foi só depois, quando ele saiu, que fui tomado pela verve de ir ao esqueleto daquele relógio antigo e lá rever o nome daquela mulher. Mas se Gaetano já sabia desse inscrito, se soubesse que eu iria tentar fazer o que de fato fiz ontem à noite; se ele desconfiasse da minha lembrança daquele apelo incrustado no temporizador de ouro do arcebispo, então se explica sem dúvida nenhuma tudo o que ele pode querer ter dito quando de repente me disse, "Vicente, você chegou a conhecer bem Dahirou, não foi?".

"Estive com ele, você sabe, na noite do pulo."

Mas o que Gaetano não sabia era que eu tinha visto o mergulho funesto do industrial, e que depois eu mesmo fui o homem. Por poucos dias fui o próprio Dahirou Corama no cume do seu salto para o absoluto gretão aquoso, lá onde voltamos ao barro original.

Gaetano me ouvia com a cara de exame, querendo mais. Dizia aquilo a ele enquanto dava apertõezinhos no relógio do arcebispo, bombeando-o como se naquela máquina o tempo faltasse e eu tivesse medo de ficar preso na mesma hora de sempre, no estrito retalho de um dos meus dias. E, na verdade, queria isso mesmo. Fugir, cancelar duma vez meu cenho enviesado na direção dos pés, era assim que poderia pôr um descanso ao que não havia de ser muito mais. Porque o tempo, ele gretava nossas caras, elastecia o frêmito do tãe-tãe largado a cada quarto de hora pelos meus relógios de parede; todos ecoando o pequeno, o dourado, ainda em minhas mãos, esse de dom Lino Tribot. Apertava-o, meus dedos se molhavam em uns quantos segundos. E tio Gaetano, falido mesmo com sua parte na venda da casa, agora se dispensava do maldoso tique-taque vendendo-o a quem quer que fosse. E também espalhava mobílias, objetos íntimos de famílias a *outras* famílias. Defendia-se da diluição impondo seus restos, essas lembranças que se materializaram, a um exílio na mesma cidade. Recife era grande e pequena para aquilo tudo. Isso também dava distinção a quem recebesse os objetos das antigas gerações, dos clãs arruinados pela inércia, por seu refolho, pela inaptidão para o mundo caviloso do presente contínuo. Tudo então se resume a isto: eu não sabia o quanto meu tio sabia. Mas nós dois cercávamos o fim dum jeito associado, de modo a desmantelá-lo daquilo que nos vergava a postura, sacudia a pele das nossas caras e, principalmente, engelhava nossas mãos. Naquela noite percebi que eu e Gaetano, no fundo, desejávamos uma só e a mesma coisa, a de sempre, e essa, vê bem, Zelino, já não era só matar tempo.

Gaetano, coitado, Gaetano e seus achaques eram nada... Quando saiu ontem à noite, minha janela já reverberava; foi quando começou a chover em trombas. Passei a mão no velho vidro embaçado da janela do meu quarto, já não podia enxergar a rua. Sei o que ia lá fora distorcido pelas pocinhas verticais que esse toró lambia naquele vidrão rugoso e alto. Lá fora, eu não estava. Lá fora ia o mundo. O relógio do arcebispo era uma fração desse universo pouco além. Batia meu avesso e também fez com que soubesse que envelheci à revelia dos demais, sem amparo de pai nem mãe, amado por uma tia e um tio, enfim, traído e traía. Era isso. Fui um doce intenso, mas completamente intoxicado.

Aquela conversa com Gaetano foi uma punção no tempo; canal para meu próprio senão, de onde pelo hálito da conversa, por essa ventosidade matreira, recompus querelas e maleitas, mel e ouro desse tempo que não volta mais. De repente me vi só, isso ontem à noite. Havia um barulho na cidade, ouvi o ronco dos motores e o chiado de buzinas roufenhas por conta da água. Minha rua perdeu seu rugoso calçamento de pedra cocão faz tempo, e assim mesmo o barulho aumentou demais. Gaetano já tinha ido embora. Estirei as cortinas. Já dentro do quarto, rodeei a cama enquanto escutava Magda Pola fechando a casa. Mudaríamos dali a duas semanas.

Mas, ontem, quando sentei na cama com o relógio no colo, me senti derrotado, mesmo tendo nas mãos aquele talismã extraordinário que então media o peso dos meus modos e o cálculo dos meus hábitos mais degringolados. Tique-taque infernal, mas queria tanto bem àquele memento nosso! Revi, até dormir, a última viagem que fiz com Ana Corama, quando então de fato nos arremessávamos, eu e ela, por sobre o asfalto da Mata Sul, estrada que ia dar em Santo Antão, e nós dois de volta a caminho de visitar a fábrica e seus campos de cana, o começo de tudo. Na minha vida, essa foi talvez a última efervescência. O sublime de ter apanhado aquela tesoura que Ana trouxe para a viagem, quando finalmente a ouvir dizer, "Então, meu bem, você vai querer cortar meus cabelos hoje ou não?"; e acima e abaixo de nós dois, um mundo de folhagem revoltosa, mundo que dá e sepulta, fazia do doce travado na medula da cana uma tumba verdejante e paliçada, nossa fúria contra o que sempre quisemos. A liberdade plantada diante dos nossos pés. O amado e a amada com mechas de cabelo nas mãos, nas bocas e avante, sorrindo um para o outro como num filme americano. Ali no carro, olho para ela e ela me ouve. Falo primeiro que Ana.

"Seus olhos pequenos, Corama..."

"Meus olhos..."

"A curva que seu cabelo faz, acentuada pela pressão de presilhas, quando se desatam", Corama então puxa o ar do cigarro, eleva o queixo e expira sobre nós dois o vapor madeiroso de seu hálito de moça. Os pingentes dos brincos balançam. "Por que voltou a fumar, Ana?"

"E por que não?" Vicente faz essas perguntas estúpidas.

"Lembra da gaivota duma perna só, que vimos de longe, na vinda?"

"Que tem ela?"

"Tinha duas pernas, Ana. Eu vi. A outra descansava encolhida. Esse era o modo de ela repousar, alternando a pegada. Engraçado, não é?"

"Que importa isso agora, Vicente?"

Seu rosto, carnoso e leve, me lembra o de Dora Maar, a musa de Picasso. Uma cara pontuada por sinais dum tempo de horror. Aquele rosto, pintado à mão severa, era a Europa face à última Grande Guerra, o conflito que os abateria já, já. Mas ali, na tinta, ia uma mulher desesperançada pelo hábito escavador de seu próprio amante, o artista louco mirando-a sem parar. Dora. Ou não? Vejo Corama muda dentro do meu carro, que sacode e enjoa a mulher que vai nela. Chora como se risse. Pede que eu pare. Contra o estofado negro, seus cabelos estão mais claros, porque lhes escova o sol e me lembram feixes de feno maduro. Uma marrafa em forma de lua minguante diz a este mesmo sol que serei apenas um reflexo quando chegar a noite.

Seu carro branco, minhas meias de seda preta e uma tesoura antiga cortando a distância entre o Recife e não sei o quê... Cortando o verde da mata nos seus olhos. Também a teia baraçosa das suas mãos no volante, depois as mesmas mãos nas minhas pernas. Entre as minhas pernas. "Vamos parar um pouco?"

Ana aperta o próprio ventre. Mas seu corpo infla no ritmo daquela viagem, adivinhada pela figura de Nossa Senhora do Leite na folhinha que colei no painel do carro.

Sentada dentro do carro, cruzo as pernas no espaço do assento, cárcere de pano e molas.

> Sentada aqui no carro, ela cruza as pernas ao meu lado, desatando no ar os cabelos como se fosse o penacho duma ave arisca.

"Vicente, me diga, Zelino é ou não a invenção de alguém que é triste e sozinho?"

> "*Zelino*, Ana... Você quer saber isso para quê?"

"Meu bem, você não acha que me deve uma explicação?" Sentada, com as pernas cruzadas, apóio meu tornozelo esquerdo sobre o joelho. Suspendo as dobras da saia de tafetá carmim. Ele me vê e aguarda meu próximo gesto. Pouso minha mão sobre a janela aberta do carro. Entre os dedos, deixo queimar um cigarro inteiro, o corpo reto do fumo gasto pelo tempo da nossa própria pausa. Ele quer que eu insista. Vicente me olha e me imagina nua. Meu amigo vê em mim apenas o movimento de baixar a seda da anágua; as dobras da saia e do corpinho rendado; o tecido elástico que larga da minha cintura e se acomoda entre os joelhos, resistindo ao arco de pernas apartadas. São panos que se romperão ou não?

> "O olhar de Dora Maar, a amante de Picasso, olha na direção de dois tempos. Vê mais de uma, vê duas distâncias. E o seu?"

"Vejo você, Vicente, e logo ali à frente vejo que estamos quase de volta a Santo Antão... É melhor pararmos um pouco."

> "Se eu lhe disser quem é *Zelino* você pode não agüentar, Ana. E se ele for, por exemplo, o mesmo

que matar um filho? Aliás, o seu filho, Ana, será meu primo ou meu sobrinho? Filho de Gaetano ou do meu próprio irmão penado?"

"Você é estúpido, Vicente. Pare o carro", ele finge que não me ouve. "Pare! Ouviu?", e Vicente me olha com a cara dum morto, os olhos de estátua recheados de lodo. Ponho a mão no ventre e ameaço abrir a porta.

"Pare!", repito, mas Vicente me ignora outra vez. "Pare, já falei!"

"Paremos então, Ana...", e piso nos freios. O carro desliza. Estanca bruscamente com dois pneus fora da estrada. Corama desce com as mãos na cabeça. Cruza os braços apertando o corpo como se sentisse enjôo. Parece que é louca. Não me olha, faz com a mão o aceno de que eu fique onde estou. Fico, mas observando-a tiro da maleta a câmera fotográfica. Passo o filme e grito, "Ana! Eu, com Zelino, então você seria amada por dois, entende? E até por três, se fosse o caso de Gaetano valer para o amor...". Ela me escuta de costas. Digo-lhe que dei a meu irmão o nome de meu avô. Mas Zelino tem as asas de meu pai fujão, e as do dela também, um pai voador.

"Que estúpido que você é, Vicente!", eu lhe respondo. "Realmente." E volto para o carro. Ele me pergunta se estou melhor, então passo a mão em seu rosto para que sinta o visgo do enjôo. Levanto os braços, entranho os dedos nos cabelos. Quero que uma última vez ele veja o que nunca terá.

Corama cruza as pernas, está aérea, ampla, há mais espaço no carro agora parado à beira da pista. Ela se faz de displicente e me revela o pano rendado da boca das meias, no contato das ligas, aquele começo injusto das longas pernas que já percorri.

Vicente veste um casaco verde-musgo, derrama no meu corpo o lume de olhos langorosos que se mostram em baque contínuo. É como um Lúcifer que aspira ser Ícaro, chega em casa caindo. Se prestássemos atenção às cigarras, ouviríamos ali mesmo nosso próprio ronco derradeiro. Digo-lhe que vou cumprir com o que prometi, "Deixar que você faça o que sempre quis, meu bem".

"Se você me der um filho, vou chamá-lo de *Zelino*. Está me ouvindo? *Zelino*." A verdade é que, sem chegar até lá, falei como se lhe batesse no rosto.

"Ei, estúpido! Tome a tesoura, Vicente. Não era isso que você queria..."

Corama baixa a cabeça. Vejo no caminho às suas costas cada uma das vértebras que lhe dá rumo. Vergada por planos abortados, Ana se ergue e corrige o passo, sempre de pé. Agora faz seu modo redondo, me oferece os cabelos à fome duma tesoura enferrujada e adolescente, mas ainda assim vai mais alta que eu. Meus dedos úmidos se agitam na ponta dos braços. Sai de mim uma garra que empurra o ferro contra as mechas de Corama. Ela é agora uma madalena arrependida do que fomos.

Pode uma mão ser maior que um rosto? Eu, com a testa baixa, quase tocando os joelhos, vejo as costas das minhas próprias mãos e sinto o estalido de cabelos que se quebram entre os dedos de Vicente. Tal como fazia o meu pai, que me aparava fios longos demais para o calor de dezembro, Vicente agora me alisa as melenas antes de ceifá-las a gosto. Sara o que me fere pela brandura de mãos molhadas. Meu amigo jubiloso e triste. A minha vontade de chorar é aplacada pela lembrança que tenho dos que me cobriram antes dele. Guilherme Fantoym, Heleno Moura, Gustavo de Freitas, André Vismara, o negro. Gaetano Dueire, Ênio Garau, o filho do pintor Balbino, Luís Jorim, Gildo Sabóia, o amante estrábico e pródigo, e, finalmente, Vicente Campelo, o meu bem... Além dos que não quero lembrar. A seu modo, cada qual chorou ao meu lado, na cama, no carro, num quarto de hotel. Mas talvez mesmo esses infortúnios um dia sejam bons de recordar.

> "Você ouviu o que eu lhe disse, Ana?"

"Saciando esse apetite, vamos construir um novo mundo, meu bem. Ou não? Você me corta os cabelos e mais adiante vou poder matar o tempo lambendo as feridas que acabo de ganhar." De novo, a querela entre nós dois.

> "Essa pena voluptuosa que sentimos um do outro, não é? Mas estou cansado demais para lhe contar alguma coisa bonita. As minhas histórias..."

"Não diga nada. Não quero que você me escreva mais, Vicente. Também não quero que você leia as *minhas* histórias."

> "Quando você vinha me ver, eu passava o dia seguinte limpando a casa. Amanhã vou perder outro dia tirando seus cabelos do carro."

"Você cantarola, meu bem, quando *gasta* seu tempo polindo os cantos por onde andei?"

Corama não entende porque não quer entender. Diz que lhe causo a sede horrorosa de quem súbito bebe longos goles de água do mar. Mas jura que adora minhas mãos, largas como remos.

Elas têm a graça de serem eficientes. Varrem o ar com a animação de nervos açulados. São gentis quando me abanam, são asas, mesmo antes de me cortarem os cabelos e me atarem ao chão. Prendem meu pescoço com cuidado, separam minhas coxas como se afastassem baronesas para que se veja o que há no fundo da lagoa. "Lá embaixo, Vicente", e lhe aponto o meu sexo, "está o tesouro...", então olho nos seus olhos. "Buu! Menino estragado!"

"Você ri, Corama, mas sabe que gosto de pensar em você. Também gosto de saber que você pensa em mim..."

"Que ridículo, meu bem! Se você fala de mim nesse tom vago, só posso lhe dar de volta um nada. Nunca vou entender o que você realmente quer."

Ana Corama, seu modo de chamar beijos de *beixos*. A cor dos seus olhos, uma boca de barro cozido.

Ruminamos, eu e esse químico, o doce odor da paisagem áspera e feita daquilo que se remove da cana a fogo e foice.

Escarlates, bravios, lindos. É o que fomos, não é? Tal como era a sua saia franzida e carmim.

Pense em meu corpo renovado pelo seu peso, meu bem. Pense no eco que ouço dos seus ossos. Você comigo nos olhos, mesmo por trás, eu me atirando contra o *seu* corpo. Mas hoje não. "Olhe para mim e me diga. Por que voltar para um lugar onde nos machucamos tanto?"

> Hoje não me seguem mais, como me seguiu Dahirou, os olhos de Ana Corama a caminho de Santo Antão. Santo Antão, que é tão longe e tão perto. Por quê? Ela me dizia isso enquanto retomávamos a estrada de volta à capital, deixando de vez a usina. Aos poucos uma fila de tratores cobria a estrada que, saindo dali, ia dar nos armazéns do porto do Recife, com silos novos, de teto oval. Revejo nos meus álbuns as estruturas do mundo-grão. Anos depois daquele encontro também repasso nas fotografias aquele mesmo rosto redondo e triste; seus olhos por amêndoas; cabelos grossos, e se lhes sopra o sol, melenas mais claras; o tamanho desse choque vem talvez do porte largo que sobrelevava seu pai, Dahirou. Dizem que ele cortava os cabelos da filha com uma antiga navalha Solingen. O industrial lhe escavava as mechas, depondo-as sobre uma bandeja de louça, evitando o chão, catando os fios com as mãos cor de oliva. Fazia isso para proteger a filha contra o feitiço alheio, nossa tentativa de impor contorno e guia aos dois, ao pai e à puta.

Abro os olhos. Sei que, no horizonte duma cidade arruinando-se pela chuva, já, já virá um céu em tom goiaba. São as tardes de junho. Hoje sinto o peso do corpo. Despertei faz tempo, levanto lentamente. Logo vem a luz pelas frestas do janelão. Rumino a voz, mastigando o ar úmido enquanto as sílabas do meu nome não me chegam inteiras, audíveis. Arrisco em língua estrangeira o nome de *Ann Marie Coram* para exercitar o veludo da voz, veludo lanoso por ser tão cedo na manhã, e com isso espantar o leite acre desse sonho. Meu tom, mais grave e rouco, embolorado pela noite, cresce no rosto, se avoluma em pigarros que me reanimam as feições. Aos poucos me abandona o peso da madrugada. Lembro das imagens que revi. A face de Ana Corama possessa pelo meu modo de lhe dizer que daria ao nosso filho o nome de *Zelino*. O amor e suas muitas vezes; o amor e suas duas cristalizações. Busco render entre uma fase e outra o tempo desse descanso, a sobra dum músculo velho que, embora volumoso, pulsa em retardo, meu lento coração. Faz mais de vinte anos que menti a Ana apenas para vê-la descabelar-se.

Agora, sim, esperto pela memória do sonho cruel, vejo meu quarto imerso na mansidão da penumbra que resta. Ao meu lado, sei, está o nebulizador. De olhos fechados, tudo que acabo de sentir se passou há muito tempo. Ontem à noite, quando Gaetano esteve aqui e me sondou a pretexto de fazer a peça de dom Lino Tribot voltar às minhas mãos, não foi preciso que eu visse o relógio para que todas as incubações dessem suas larvas, ardessem em meus dedos e pusessem, finalmente, aquela velha trincada no ângulo do meu queixo. O tremor que ferve em meus punhos, que repõe águas em minhas retinas embaçadas, hoje me amolece os ossos; foi mesmo o caso daquela noite no zepelim. Gaetano percebeu todo esse torpor, porém da sua pequenez foi grandioso, esse meu tio; acho que se deleitava com minhas declarações, e nisto era sincero. Acredito que Gaetano de verdade queria que eu recuperasse o relógio do meu pai, a grande peça do arcebispo. Fazia da injustiça uma reparação. Queria, em troca, a minha confissão. Saber onde andava Ana Corama. Então lhe contei a história da queda de Dahirou, e meu tio arregalava os olhos, cruzava os braços apertando os cotovelos com as mãos. Rindo sem crer, Gaetano se abraçava, pois sua surpresa era demais. Se não fosse isso, fazia que era, porque então agradava a nós dois; e a minha sesta, meu fim de tarde com o café frio de Magda, a tudo largávamos como se tivesse sido fruição já gostada. Mas isso, ontem. Porque antes de dormir, abrindo a boca para o sonho com Ana, e ainda com Gaetano povoando minhas impressões do dia, pude ver um mundo que se insinuava desenhando-se na potência mentirosa daquele meu parente. Daqui ele sairia carregado de petalhadas e engodos, exagerando no que diria depois, repetindo o ouvido, engrossando a voz de Dahirou, aquiescendo minha postura erradamente, muito embora fosse verdade que se Dahirou estivesse vivo, eu e ele talvez brigássemos pelo relógio... Mas se Gaetano pensava que podia sorver uma gota de paz e grandeza copiando a serenidade desses homens de bem, que foram o industrial Corama e o meu pai, pois então, meu tio Dueire, você está enganado. Pois o Patek dos Tribot não faz o tempo regressar.

Nesse relógio, no marcador do arcebispo, revejo. Já são seis e meia da manhã. Magda Pola, que devia me chamar quando as águas começassem a ceder ao limo e, de pouquinho, também ao seco, ainda não entrou. O gabinete do andar de baixo, onde mantive por todos esses anos as minhas coleções de menino, afundou sob a linha d'água. Salvou-se o lustre de pingentes azuis, ameaçado, livre pela altura do antigo pé-direito. A chuva ontem caía em bravata diagonal e, sem chegar a ser muito intensa, foi constante. Seus pingos, hoje novamente apenas gás e vapor, repõem um manto leitoso sobre uma cidade embebida pela brusca aproximação entre os rios e as suas trombas verticais.

Saio para a varanda do quarto de cima. Meço o volume dessas águas pelo modo como avançaram sobre o tronco do pé de castanhola, ainda rijo na calçada em frente e vencido há mais de cinqüenta anos por mim e outros meninos mais velozes que eu tanto na corrida como na escalada. Apoiado no lambrequim da sacada do primeiro andar, estico a perna, passo por cima do parapeito, lentamente mergulho o pé direito na grande poça que inunda a cidade. Caminho em cima do largo muro onde tantas vezes me escondi, menino entre este vão submerso e as copas das árvores. Vou lá fora até Magda, que há quase duas horas diz que sim à chuva cessada, ainda infeliz mas esperançosa, enquanto aguarda alguém que lhe dê um sinal. Estou ao lado dela. "E então?", pergunto. Ela diz que não, com a cabeça. Miramos do alto da espessa passarela afogada, do muro agora imerso em lama rala, uma cidade inteira se rebaixar tomada à força pela friorenta asfixia do barro marrom.

Sei, porque ouço e Magda me confirma, que das torres repicam os sinos das basílicas de Nossa Senhora do Carmo e de Nossa Senhora da Penha, da capela dourada da Ordem Terceira de São Francisco, da catedral de São Pedro dos Clérigos, do convento franciscano, das igrejas de Nossa Senhora da Saúde do Poço da Panela, da Madre de Deus, de Nossa Senhora do Livramento dos Homens Pardos do Recife, de Nossa Senhora do Terço e também da Matriz de Santo Antônio. Para além da minha rua, buscando daqui de cima a direção dos repiques, meço a imolação dessa cidade humilhada pelo silêncio dos seus ônibus e pregões, pela interrupção do silvo das fábricas hoje abandonadas como um brinquedo no fundo duma piscina turva de várias semanas. E, no entanto, foram apenas três dias de chuvarada contínua. Essa rápida sublevação da cabeceira do rio veio casada com o espumar tristonho e cinza de ventos que banharam uma ferida de quilometragem quase sem fim. Tamanha foi a ira no bojo do céu nublado que a fadiga imposta tem a aflição dum plano de combate para guerras antigas; tudo rápido e, por isso mesmo, desolador. Há poucos dias aqui em frente de casa ainda caminhavam, em paz ou com pressa, nossos cachorros e também os carros. Hoje seus chassis e as barrigas animais são quilhas em plena aflição. Isso vemos eu e Magda...

Porque águas exaltadas encobriram a cidade, sua lâmina rugosa e baça seccionou casas, postes, carros, muitos adernam. Árvores, ananicadas ou rotas, espraiam seus braços folhosos, largam frutos empapados num subsolo já fluido e, afinal, afogam os caules presos à terra pelo rigor das próprias raízes, eis o grande terror. De cima do muro, com água pelos joelhos, vejo passar uma pista líquida, vasta, singrando soberana risca um afluente urbano e nele se arrastam tufos de capinação, potes, maços, papel e plástico; tudo lixo já livre dos baldes. Desse estado abatelado de secos e úmidos Magda se lamenta. Contra tudo aquilo protege consigo uma toalhinha nova, talvez a última, e àquela altura seu trunfo contra um oceano amarelo, mas pouca munição para uma guerra já desprendida e total. Seu pano era para mim, que enxugava o rosto, porque essa água é pura sordidez. Vasculhando a paisagem olhei em direção à esquina, agora coberta pelo maleável asfalto de aluvião encristado por marolas âmbar. Foi só então que vi o imenso boi, o zebu de cupim aniquilado. Seu flanco brancoso, inchadão, a três-quartos submerso, vinha mais lento, constante como voasse, esse avejão que boiava, e a ele me rendi. Era um verdadeiro Buzelim, o touro Dueire. Ali a cheia nos dizia, sacrifício... Apontei, "Magda!". Um pavor desse animal grave, sua terra muito abaixo do corpo morto, longe de qualquer pasto seco ou submarino, se fixou entre nós dois. Magda fez para si um sinal-da-cruz, o primeiro já feito para um bicho que, de tanto sem nos importar, matamos por mero regalo de bife. Boi morto passava, Zelino. Diante dele, foi estranho, aos poucos julguei a vida inválida. Negar por quê? Quando cascos e chifres entregam sua tenência e se largam feito a esse boi, o mundo encurta um milímetro de seu calibre ancho e nele corpos pulsam em lento pavor. Pode ser que de regozijo também. Mas ali, de todos, quem não pensava em algo absoluto? Somos, qualquer um, a semelhança duma torneira aberta e impossível de sanar, era natural que algum dia sobreviesse seca ou inundação. Foi isso. E aos poucos um boieco sem canga era o que restava em todos nós daquele sempre hálito ruminante que, sim, também se esvaía enquanto eu via passar aquilo que, vivo, chamaríamos êh boi, ô... Isca! Ei-a! O bôôôi!

Intumescido como ia, aquele animal lembrava que em breve a água iria praticar suas reações, fermentando num silêncio de besta soberba. Estancava e, pior ainda, dava mais alento a micróbios e larvas, se emprenhava de vida inimiga. E, no entanto, mergulhadas nesse mar em frente de casa, umas poucas cabeças de pedestre ainda nadavam e, com as pernas riscando no fundo a lama extraviada do rio, com seus braços hirtos acima das testas como se buscassem apoio na quimera dum trapézio também enfunado pelo ar úmido, essas pessoas, algumas delas, jogavam no boi uma pedra ou outra, um minério catado duma profundeza em que pernas e pés se alongavam para o difícil contato com o chão. A lâmina d'água ia pela altura dos seus corações; ali braçadas pouco adiantavam. Por que isso, minha gente, se vocês ainda têm de buscar bem fundo no rio esse arsenal contra o mero bovino? De onde vem a teima em gozar do corpo morto e rir dele como se, por alcançar o alvo da pedrada, o lançador se enfrentasse ao destino injusto e goliardo, como se defendesse, pelo exemplo do pastor Davi, uma cidade esmorecida pelo corrimento da enchente? Mas o boi nunca foi o gigante campeão filisteu. E essa água não era o fado dum povo estorvado pelo poderio alheio. O inimigo aqui é a nossa própria ingerência da flora submissa, hoje bastarda, e que há tempo circunda essa velha cidade.

Vastos campos de cana corroem à direita e à esquerda os leitos fluviais, enegreceram seu caudal pelos despojos do fabrico açucareiro. Hoje o vinhoto mata também quem com ele realizou o lento assassínio hídrico. Uma morte lenta de trezentos, trezentos e cinqüenta anos agora resvala para o nosso lado e vem catar para cada calendário passado o tributo duma vida de gente, as casas de proprietários e peões, o sítio, o parque, a própria fábrica; os carros e os animais domésticos, todos rotos, a eletricidade evaporada, os rádios e os televisores entupidos, seus tubos enlameados, a vida sem qualquer consolação. Uma grande enxurrada, porque esse tempo injuriado se liquefez, hoje leva consigo quem se planta austero e, igual, também quem se recolhe com seus tremores de frio e medo. Não há onde se abrigar; habitamos nossos próprios tetos. Hoje, eu, por exemplo, estou limitado ao primeiro andar de casa, passeio em cima do muro com o rio que me sobe as escadas, carquilha meus pés e me alcança os joelhos. Encharcados, foi dessa maneira que voltamos ao patamar do tudo-igual. E o soerguimento técnico da usina, em que me empenhei durante mais de trinta anos, que antes de mim meu avô empreendeu lançando meu pai no mundo, de onde ele nunca voltou, enfim, esta façanha desregrou no tempo de três gerações o curso das nossas águas, as margens dum leito hoje aflito.

A meu lado Magda, tenho certeza, crê na gerência punitiva dum deus que corrige espalhando caldas. O rio é seu torçal, cordão feito com águas de retrós, instrumento de nossa lenta sufocação na vez desse horizonte pantanoso. A velha Magda não imagina as causas naturais e coletivas dum fenômeno brusco como esse. Não vê qualquer reação ao longo estrago que foram a coivara, a drenagem, o açude sem plano, a repetição quase infinita dos partidos de caiana, cujo farfalhar era belo mas profundamente doloso. "O quê, Magda?" Ela não me responde.

Súbito, uma corrente de barro, tortuosamente ágil, escorreu como num contragolpe e, sem que eu tenha percebido, pode ter tirado do bolso da minha calça o aparelho do arcebispo Lino Tribot. Não o vejo mais. Não o via ali. O relógio que trazia há pouco. "Onde está, hein, Magda? Por favor."

Procuramos no primeiro andar e também vasculhando com as mãos debaixo d'água, no caminho que fizemos por cima do muro. Minha teima em trazer a jóia, como um amuleto, resultou em mais um desastre. Naquela hora Magda me amparou, foi meu cálice. Contestei as mazelas impostas pela água, tentei acalmá-la. Expliquei novamente a vazão do rio. Cobrei a tua vinda, Zelino, e fui duro quando ela olhou espantada de me ouvir repetir teu nome. "Zelino! Ajuda, irmão...", eu disse, e esconjurei nossa amizade. Gritei que tu existias.

Magda, em sua defesa, disse que também estava sem casa, que tinha sido expulsa, cercada pelo rio amarelo, nervosa, confusa pelo círculo do aguaceiro; então nos separamos por quase três horas. Fiquei sabendo dela por recados que também mandava. "Vá para casa, Magda", eu disse. Comemos juntos os restos da refeição que ela trouxe de manhã para o andar de cima. A comida boiava no teto da cozinha, latões e sacos estufados pela enxurrada. De tarde, ela ficou. Disse que ia, mas foi e voltou. Servia-me inclusive na má-fortuna dos seus. De onde vem essa anulação de quem nos serve? Ou mais, o que eu devia a Magda, e talvez também a ti, Zelino, mais adiante seria passível de retribuição? Sinceramente, não creio.

Então disse, "Vou mergulhar nessa água, Magda. Vou mesmo! Não espero por mais ninguém...". Olho em redor. Preparo as pernas, me sento no muro; tento sentar e escorrego. Caio com tudo no antigo jardim da frente, agora uma lagoa. O ranço calamitoso daquele baque foi um tombo que destampou em mim a vergonha duma coça antiga, caduca, a única que meu pai me largou. Meu rosto se agrava com essa correspondência. Caindo na imensa poça, lembro da surra dolorosa a ambos. O passado voltou por uma onda de água podre. Engoli o nojo daquele rio marrom. Caí buscando o que era meu, de meu pai; o relógio do arcebispo. Recife, sempre rasa e úmida, agora era essa marola descomunal, quase sem teto que se salvasse a seco da velocidade com que subiam seus dois leitos. E contra isso, o que vale a vida dum químico? Vale o que ele reage, é claro. Deus também é químico; o rio, seu amarelo solvente; eu, um cadinho de emoção e ossos. Zelino, como vamos reagir um ao outro, Vicente à água?

"Magda, vou mesmo lá embaixo tentar passar pela janela do quarto da frente. Lá deve estar o molho de chaves. Mas antes, veja. Segure aqui esta aliança. Guarde bem guardada. Não perca, ouviu? Agora sim. Vou eu só com Zelino", digo-lhe isto e sorrio. Ela se espanta. Fala que brinco até na desgraça do mundo. Ouço o desespero de Magda Pola, a mulher que me banhava e me erguia para as fotos diante de minha mãe insulada, de olhos francos, e eu, seu herdeiro com cabelos de milho... Agora Magda põe no dedo a aliança de meu pai. Lembro do que me disseram. Haja o que houver, tu és filho de Elena Dueire e Anquises Tribot Campelo. Afundo a cabeça na lâmina d'água. Mergulho inteiro em sobras de chuva e rio.

Sinto em mim a força dele, de *Zelino*, ser lacônico e voador, lembro do sonho de seu corpo sobre o meu, minhas mãos fazendo figas, os braços cruzados e um sentimento de condão afinal me invade, minha pele se arrepia em penas neste rio onde concorro com os galos e seus fios em coro, me sinto a peleja dessas aves que espertam a luz, dessa luz que em lugar algum desceu tão cristalina quanto em Santo Antão ela descia vertical, baixando em estocada, fazia finca-pé capaz de desvendar o chão da cana, pousando destra ela vencia a estatura unida da caiana e seus movimentos de maré resseca, farfalhante, molho de navalhas flácidas, mas aqui embaixo é amarelo e marrom, antes não, antes essa luz espreitava insinuando-se por entre o abraço resistente das folhas, indo fecundar o solo barroso, às vezes empoçado, lambendo as raízes da cultura que aguarda verter-se em charco e espera a queimada fustigar sua epiderme, enquanto Corama e eu corríamos varando esses campos de cana, então ela chega ao meu ouvido com medo de me tocar pelo susto, "Vicente, você me amava tanto assim?". Nado agora como se abanasse as mãos dispersando velhas moscas, e novamente a vejo, Ana, naquela tarde saindo de dentro do carro, nós dois inocentes da gravidade que um dia teria essa história, minha tentativa de desvendar seu rosto anguloso e de meus dedos contornarem a paisagem das suas costas, fundindo o olho e o seu alvo, o observador e o objeto já indistintos, se são próprios ou alheios, se vividos ou inventados, e que embora meus, nunca chegam a ser privados, como são, ao contrário, um punho ou uma gravata, como a gravata de José Wellington Dueire, a voz retumbante de meu avô, "Deixe a moça dos Corama, Zé Vicente!", ele falava, desdenhando das ofertas de meu pai, os exageros de Anquises Campelo, o mero gerente, caixeiro-viajante numa indústria de latifúndio, ah os bonecos que meu pai me trazia, os que me deu quando voltou da América, caubóis de chumbo colorido como aquele facínora que reluzia com sua estrela no peito, o xerife, um imperador de terras sem lei, e eu, de tão contente, saltava, e num desses saltos varei o hálito ferruginoso de meu pai, senti o que ainda não lhe embaçava os olhos, pois embora enxutos adivinhei sua fala úmida como a de Fedra, perdigueira que me copiava ventilando o rabo, ensinando-me a ser fiel e concentrado, enquanto meu pai assistia a tudo durante o pouco tempo em que esteve entre nós, e seu contentamento era o meu contentamento, diante dele minha brincadeira se multiplicava ganhando voz e trejeitos, foi o caso de *Zelino*, e assistindo a tudo isso a minha mãe ria sem mostrar os dentes, aprovava mas também era seu modo de pedir mais calma, "Calma, Vicente. Calma", me dizia Ana Corama no dia em que a vi nua pela primeira vez, calma, como se tivesse a mesma voz de Elena, e ela, Ana, passava a mão direita sobre a blusa listrada, azul e branca, que lhe cobria um seio e, nele, o coração que batia por dois, por mim também? Ana saberá o que sei? Hoje sente que sou quem? Aonde foi, agora que vejo esse sol fluvial, rosado, como viu Garau no seu *Homem das mãos azuis*? Pois amo-a como ela amaria um cão raivoso, ela a amante sendo eu, e eu a cadela raivosa sendo ela, tudo isso, como o amor, também mergulhou no escuro, todo amor pode ser descrito pela figura dum único dia, com sua longa madrugada, depois o sol a pino, a tarde e afinal a pálpebra rápida do lusco-fusco, por exemplo, Ana apontando para a maçã do rosto, pedindo-me um beijo, seu coque negro duplicado pelo espelho da sala, Ana com a mão pousada no rosto alaranjado pela primeira luz da manhã, nossa vez na cama, sua boca rosa e azul, a testa alta, os olhos rápidos que admiravam o destino de Luiz Carlos Prestes, ela chora por ele, eu choro por ela, Ana reclamando de mim após as caçadas, lembro de quando o chumbo sete vaporou uma avezinha no chão, porque fui covarde depois que disparei a cotoco e o barro ficou sarapintado de vermelho-rubi, doeu, mas pus fim àquela pena de viver, ave, e a perdigueira Fedra começava a me estranhar os modos, então com que palavra eu poderia definir aquilo que só se explica pela falta de senso? Pois isso foi a vez em que eu e Ana Corama arriscamos a viagem de volta a Santo Antão, ela trazia no pescoço uma caixinha de laca japonesa e, no tampo, a figura dum macaco segurando uma vara de bambu, queria me dizer o quê? A menina que luta com aquele pulo do pai na cabeça, sempre seu pai na cabeça, o suicida que retira os óculos, limpando-os, e os depõe antes do salto do dirigível alemão, o leque, que nas mãos da filha lhe abanavam tanta melancolia, afinal Corama amou Fredo Alves? Amou Bernardo Gil? Quando chorou, chorava só pela prisão de Prestes? No tempo de Ana me reparar o exagero, Zelino atirava em morcegos no copiar da casa de Balbino Garau durante nosso verão em Belavista, busca um, muda a direção, acompanha o voador, faz seu ziguezague, puxa o gatilho e, de três cartuchos, derruba um vampirinho, a média era espantosa pela rapidez daquele andirá orelhudo, e alheios ao burburinho humano cães e gatos se entreolhavam, enquanto no alpendre mestre Garau me via com espanto, eu gritando, “Zelino, tu és bom mesmo!”. Depois o pintor me cobrou quem era de fato o real, e em casa Ana Corama recebia a notícia de que eu não estava bem, *VICENTE CAMPELO. PT. SURTO BELAVISTA. PT. PARTIDA IMEDIATA. PT. INTERNAÇÃO CLÍNICA RIO. PT FINAL.* “Volte, Vicente, quando vierem o amor e a certeza!" E quando voltei, disse a todo mundo, "Zelino, eu inventei isso", e alguns me acreditaram, então busquei de novo a companhia de Ana, brincávamos de dar às partes do corpo o nome de peixes, às partes dos peixes o odor de frutas, às sementes das frutas o teor granitoso que insufla a língua das aves, eu, *Zelino* e Corama, mas enquanto estive fora será mesmo que Ana amou Maurício Bega e o seu primo, Nuno Nestor? Os olhos cinza, o torso virado para as cortinas, ela espreita de lado o lume que vara as janelas, Corama misturada aos meus lençóis, tão linda, Europa raptada por Júpiter transmudado em Buzelim, o touro de meu avô, vem das auréolas dos seus peitos, mulher, algo que não sei se é grão ou nuvem, voa a grande máquina mais leve que o ar contra um céu de chumbo e sol, GRAF ZEPPELIN, revejo Dahirou no dia do salto, volta-lhe em pleno ar (na forma encaroçada e mais densa que o ar) a lembrança de Ana, o pai pensa na filha antes de tirar os óculos e saltar para um céu de longa manhã, são dois os corpos de Ana Corama, aquele entre as mãos de Dahirou, que lhe poda as ondas dos cabelos, e o que vai abafado pelo sussurro dos amantes, eles, que fazem dela, de seu me-gosto de mulher, a porção oculta dum busto de Diana, uma amazona a pé lamentando a falta dum rocinante veloz e falador, talvez por isso ela quisesse ser minha amiga e meu bem, Corama tem dois olhos como uma parelha de amêndoas, sabe que boa parte do gosto na língua vem da pura visão do que se põe à boca, abre os olhos e me vê, Ana, vê enquanto mastiga o que apanha e come, mas seus dentes não tocam a prata do talher, no momento de engolir sabe que o esqueleto duma égua esfolada pelo longo páreo é uma árvore polida e sem folhas, nua, inútil, que se depõe sem frutos, ela mente para si mesma passando os dedos entre as contas do colar, Ana guarda em gavetas e baús anotações para historinhas, começa a escrever o livro das despedidas, uma elegia em folha timbrada e tinta da china, *Aviário oeste*, e folga ao se enxergar como banhista observada pelo amante, eu o seu amante, ali ela se faz de Dora Maar, a amada de Picasso, finge dormir enquanto sabe ser admirada pelo marido e pelo outro, Gaetano e eu, e se a desfolhamos, ela refloresce com toda calma.

"Soube do meu pai, reconheci a verdadeira face de meu pai, quando me contaram do seu salto. Eu, a primeira moça a revoar as saias montada na garupa duma motoneta em Santo Antão. Vi me olharem pasmados pelas evoluções da barra de musselina godê. Mais que isso, aqueles homens viam no meu rosto a vibração de quem sabe que nunca será alcançada. Pressentida, sim. Suada e exausta; chorosa, por não amar, e solitária. Mas me alcançarem, isso não, jamais..."

Medra nos olhos rebaixados de quem tem uma pálpebra mais empapuçada que a outra, não o medo da vida, mas o fardo da visão desigual, a queima da tez bonita e ciente da própria dissolução, o inchaço, pois com um olho mais vivo que o outro, Dahirou viu, suas mãos levemente agigantadas por pêlos que lhe cobriam os dedos, ele tateava a nuca e a testa da filha, de Ana, se enroscava por entre as argolas da tesoura e sentia, como se fossem brasas, os feixes e as pontas do cabelo Corama caírem no colo da menina, no chão, ela mirando o primeiro homem, pensando, estarei bonita para o meu pai, e sorriam um de costas para o outro, os dois, ah me incomoda, Ana, que no momento mesmo em que eu penetrava seu corpo você largasse uma súplica com o nome de Deus, como se aplacasse com isso a antiga sanha de gostar.

"Vicente, goteja de seus olhos o velho sal inimigo que as mães secam das nossas frontes molhando panos, estufando nossas narinas com chumaços de algodão. Eis, por exemplo, o momento duma *pietà*. Que odor exala da extinção das famílias? Será que é verdade que o sol não é mais largo que o pé dum homem? Olhe para cima, meu bem."

Se não houvesse o pecado da honra, Corama teria sido uma mulher verdadeiramente feliz, por toda parte amar é música que vem duma longa conversa entre dois ou mais, com Fedra morta, por exemplo, fui eu quem a servi, fui seu servo, amei-a ainda mais, quem morre me tem como servo, mundo feio este ao redor, mas criei minha maneira de ser melhor, sendo químico, o peso da perda de si, do controle, do contorno da decisão reta, essa é mais grave, pois aqui nas paredes da sala, dos quartos, dos corredores vazios de quadros, hoje cheios d'água, pousam as molduras ovais com meus casais de mortos e também a fotografia da casa alpendrada de Belavista, banhada de tinta sépia, cor de rio, enquanto ando mal e nado pior, então elevo o arco da pernada quando vou em direção ao ar, às minhas coleções, ao quadro em que Garau me fixou com as mãos azuis, aos retratos em cima da mesa de encostar, ao relógio do arcebispo Lino Tribot afogado pela súbita exaltação do Capibaribe, com quatro pernadas volto à tona para resfolegar, ponho as mãos no teto da sala de jantar, estou boiando próximo ao pé do lustre, flutuo sobre a grande mesa entalhada de jacarandá, afinal respiro.

Daqui revejo a grande casa, hoje branca, antes azul, aquela que anos atrás Agamenon Magalhães, braço soberbão de Getúlio Vargas no estado, chamou de *gaiola de ouro*, esta casa, o palacete onde, diziam, casou-se Ana Corama, muito embora todo mundo soubesse, Corama de verdade nunca se casou, viveu aqui dentro cedendo aos rompantes de tio Gaetano no viveiro de seu pai, meu avô Wellington, era o governo de Intervenção e suas avenidas mirabolantes, a querela com gente artista lhe confundia quem humanista e quem a favor do puro comunismo, pois hoje, olhando para trás, aonde vai a verdade política? Quem tem medo dum livro de História? De encontrar ali uma menção amarga à parentela, ao erro do patriarca, àquela falta que consegue derrubar o hálito pelo próprio eco duma assinatura em tinta velha, inclusive durante o tempo desse nome não ser jamais esquecido, em 1934 foi este palacete que meu avô, pai de Elena e Gaetano Dueire, comprou a Dahirou Corama, e junto com ele, o resto desse homem estrangeirado, a própria filha com seu nome de solteira, você, mulher, por quem novamente traço um plano, chegar dum fôlego só à sala de estar, ao hall, ao meu escritório de baixo, reaver antes que se escabujem os papéis que me deixou, as anotações para a sua história nova, *Aviário oeste*, a peregrinação do último heroizinho chamado Jurandir, nas minhas estantes estão todos os livros que Ana ditou a Magda Pola visando o delicado enlevo infantil, será? Em todos eles há essa busca dum bem querido, o vôo duma ave sem pressa, porque confiada no reencontro dos parentes, seus únicos iguais, Corama escrevia mesmo nos dias em que eu a tinha na cama, quando se inclinava para um beijo seus cabelos me alisavam o rosto, confundindo as linhas da minha face, me enevoavam os olhos, os fios presos à minha barba eram as ligaduras da feição desfigurada pelo que no beijo, Ana, havia de temor pueril, é nesses livrinhos onde estão os traços da minha condição de químico sem companhia, e os *seus* traços de filha sem pai, ele reconciliado com a industrialização, Dahirou fez da vida um projeto de expandir o fabrico açucareiro, e nisso fez bem, homem obstinado, então o pulo, mas você Corama são várias mulheres, uma que não me vê hoje, mergulhado aqui em céu marinho, e outra que me viu aéreo, depondo no cinzeiro em forma de bolha de vidro nevado as cinzas de nossa expiração noturna, a noite em que estivemos juntos todo o tempo, hoje tudo isso em redor é lama de Santo Antão, lama que me lembra o instante de nossa sanha sonsa, querer por exemplo voltar, dizer como éramos, entender o pulo de quem pula só, e entender o amor, será isso possível, mulher?

"Seus olhos cor de palha, palha verde de capim, capim seco de sol, sol amarelo de áspero calor, seus olhos, Vicente, me olhavam e não diziam nada. Você me queria fora daqui, nós dois fora daqui, longe de Gaetano, e ao invés, *Zelino voa, revoa...* O que era aquilo tudo, meu bem?"

Revejo Ana Corama escrevendo na mesinha da sala que atravesso dando braçadas, ela escavava a mobília seca, seu copo de cristal com canetas coloridas foi de meu pai, e a cadeira em que ela se reclinava, movendo o corpo para a frente e para trás, conforme o acordo entre as palavras, essa cadeira de braço e palhinha indiana estralava como se soletrasse a palavra escrita, mas isso também é vento e baú desabrochado! De onde vem a sanha de se querer mostrar aos outros aquilo que não é nosso? Acaso do amor?

"Também pode ser do amor, Vicente. Você, dormindo, tem a boca mais encarnada e cheira a cogumelos molhados."

Ana Corama, louca no carro quando voltávamos de Santo Antão, punha a mão no ventre e dizia que ali começava o mundo, aos poucos pisava na sombra alargada pelos dias da gestação, com Magda acompanhando o zelo da patroa consigo mesma, o próximo minuto importando-lhe mais que o passado, a mudança que, depois, a fez ir embora de repente, sem nos dizer nada.

"Vejo Vicente e o seu fim. O deslize por baixo da lâmina crespa de barro liquefeito. Químico avoado que vê o boi e se adivinha nele. Vicente flutua como flutuaria uma criança na sua primeira volta de bicicleta sem rodinhas. Como um cão, como Fedra ou Cícero com olhos de gaze fluida, enodoados pelos vapores da traição, Vicente flutua como se saltasse da ponte do Poreja, como se a febre que o possuía, desarmando contornos e línguas, fosse aluída pelas mãos de Elena e Magda Pola, ensopando sua testa com um lenço de cambraia e rodelas de batatinha crua. Distante do chão meio metro, Vicente nada como se corresse em sua rampa de tábua e tijolos, saltando de bicicleta a distância de três placas de concreto sombreadas pelo pé de castanhola. E flutua como sua pipa feita de papel de seda verde e taliscas de palha de coco, voa alto e sua longa cauda de tirinhas coloridas evolui no ar. Os olhos de meu bem tragam a primeira vontade de ser palha com cola e papel, de ser mais leve que o ar. Ouvia os pássaros atentamente. Agora abre a boca e sente *Zelino* rindo de seu engasgo, Vicente se engasga. O rosto manchado de refresco de tamarindo, hoje um suco fluvial. Eis ali o sabor do fim. Massapé. Areia para granular a moela de quem rumina os insetos do mundo..."

Levanto a cabeça e respiro, quase sufoco, pergunto-me, como um químico deve misturar seus muitos materiais? Magda me espera com a aliança de Anquises na mão, e fuma, fuma? Vai alardear a volta de *Zelino* aos que vierem lhe perguntar como estou, "Vicente piorou de novo? Ainda depois de velho?". Ah, sinto saudades do tempo em que mergulhava da ponte do Poreja, e de pé, no sol do caisinho, Ana punha o dorso da mão em minha boca e me pedia para morder, eu mordia, ela fechava os olhos como um gato suspenso pela courama do pescoço, entendo esse Sim que se traduz em sua expressão e aperto-a mais, Ana Corama, seus seios que apontam como os de uma adolescente, eles desmentem suas mãos retalhadas e idosas, há várias idades nessa mulher, em minha amiga, no seu corpo de amar os homens, "O que é que há? Você está bem, continua bem, Vicente?", ouço, e novamente mergulho, nado em frente da porta do quarto de Elena, depois quarto de Ana, onde tantas vezes ouvi seu hálito amordaçado, mergulho mais fundo e puxo uma haste, uma perna de mesa, puxador? Puxo e dói, ardem o peito e as minhas narinas, arde a garganta pelo feltro que me chega com seu odor frio, de barro diluído, e tateio no escuro marrom, cavo a terra fluida em busca da gaveta onde estão as páginas do *Aviário oeste*, em busca do relógio de dom Lino Tribot, serei enfim ponteiro regulado, certo de minutos e segundos? Serei chave, chavinha de aferição em forma de oito, correta, certeira no rasgo que abriga a corda espiralada da máquina e, dentro dela, o nome de Ana Corama? E, isso, por quê? "Deve-se amar sem metáforas..." Lembro dessa tirada ofensiva que ela pôs na portada de seu aviário, para que tanto zelo comigo, mulher? Espalmo contra uma superfície agora atolada em água de rio, vai daqui para lá uma correnteza que rouba dos vivos o alento e o consolo, a matéria e as fórmulas dos nossos tiques contra um tempo circular, Zelino respira fundo e, comigo, reavemos seu velho progresso, voa porque pode ser também peixe-voador, penso em nossas coleções, nos livros inchados, retortos pela umidade total que será a derradeira inundação, debaixo d'água repasso a planta da casa e sua mobília de tez assombrada, líquida, agora flutuando de um cômodo a outro, inclusive por cima, no ar, onde vão ao redor de mim as cômodas, o guarda-roupa, um aparador de vidro bisotado e entalhe de roseiral, o terror é uma mesa de jacarandá com as pernas para cima e assim violada, revejo-a e me agarro a ela, há correntes por aqui, *Coram populo!* Por todo lugar, aberto, livre, nosso princípio foram as queimadas de Santo Antão, antes me cobriam de vergonha por dizerem o que fomos, hoje todos esses despojos vêm de lá, estão nas fotos que guardei por tantos anos, do tempo em que Magda punha no colo outro rebento de nossa cepa de lenta falência, eu, na foto da parede agora turvada pela água barrosa, e Elena, a minha mãe, me vê e ouve Fedra latir, e diz Não à cadela, enquanto ela rosna para um trator de esteira longa passando em frente de casa, sulcando o barro da estrada, indo escavar as valas que separam partidos de caiana ruflando como as saias de minha avó Otina, "Assim foi o que foi assim", eu sei, e deve-se amar sem metáforas... Mas hoje, ouço apenas passarem os aviões fotografando nossas margens espalhadas, ali e aqui competem comigo a justeza de três fendas, águas em que banhei olhos de ver Dahirou, Ana Corama e Zelino, por todo lado a luz âmbar desse tempo mascavo é de verdade demerara, e ao redor da velha Casa Azul e submarina, neste mangue onde se afogaram pradinhos de capim-miçanga e lágrimas-de-nossa-senhora, nado como se deslizasse num vasto tabuleiro de barro e açúcar, olho para cima e sei que pouco além do espelho d'água, distante de mim mais duas braçadas, está a superfície do ar, em breve estarei de volta, o ar, esse doce que desce e lança sobre a cidade uma cúpula goiaba, bem ali, onde um horizonte azul-violeta já desabrocha em tarde e céu.

Impressão e Acabamento:
Geográfica
editora